GORDON KORMAN

LIBRO UNO: EL DESCUBRIMIENTO

INMERSIÓN

SCHOLASTIC INC.
New York   Toronto   London   Auckland   Sydney
Mexico City   New Delhi   Hong Kong   Buenos Aires

A Ron Kurtz,
el maestro de las burbujas

Originally published in English as *Dive Book One: The Discovery*

Translated by Jorge I. Domínguez

ISBN 0-439-76870-5

12 11 10 9 8 7 6 5 4 3 2 1   5 6 7 8 9 10/0

Printed in the U.S.A.

First Spanish printing, September 2005

8 de septiembre de 1665

Cuando la explosión sacudió el Griffin, *el joven Samuel Higgins supo al instante que el barco se iba a hundir.*

"Morir a los trece años", pensó el muchacho mientras el palo mayor de la nave se deshacía en una lluvia de chispas.

La vela, convertida en una llamarada ondeante, se posó finalmente sobre el tesoro que estaba apilado en la cubierta: un montón de baúles llenos de monedas y joyas, arrobas de barras de plata, sartas de perlas y cadenas de oro. Samuel lo vio desaparecer bajo la lona en llamas. Sentía la cubierta crujir bajo sus pies mientras el Griffin *comenzaba a deshacerse. Una refulgente inundación de monedas se coló por las aberturas entre los tablones de la cubierta. Samuel nunca había visto tanto dinero junto, un tesoro probablemente más valioso que toda su aldea del norte de Inglaterra y sus alrededores. Era una fortuna que hubiese dejado boquiabierto al mismo rey.*

Y sin embargo, todo ese dinero no podía comprar

2

ahora cinco minutos más de vida para el Griffin, *su capitán y la tripulación a punto de perecer.*

El viaje de regreso a Inglaterra les hubiese tomado por lo menos tres meses. El descenso al fondo del Caribe demoró menos de tres minutos.

Allí quedó abandonado el tesoro, el botín de un Nuevo Mundo que comenzaba una espera larga y silenciosa...

CAPÍTULO UNO

El catamarán se mecía con las aguas mansas de la bahía de la isla de Martinica, en el mar Caribe.

Kaz miró al joven que trataba de mantener el equilibrio sobre la cubierta, y extendió su mano para ayudarlo a subir a bordo.

—Si me quieres matar, ¿por qué no me disparas de una vez?

La respuesta fue una risotada.

—Vamos, Kaczinsky. Es más seguro estar sobre algo que flote.

Kaz tragó en seco y subió al barco tambaleante. Desdeñar el temor era como una segunda naturaleza para los jugadores de hockey, especialmente en Canadá, donde jugaba la crema y nata del hockey. Algunos de los muchachos contra los que había tenido que jugar llegarían un día a la NHL. Ellos dirían que él había sido parte de la pandilla: Bobby Kaczinsky, el mejor defensa que había producido Toronto en los últimos veinte años.

Pero todo eso se había ido al traste. Las rodillas se le doblaron de repente. Y eso no tenía nada que ver con el catamarán.

Él lo llamaba "el sueño", aunque lo había sentido tantas veces despierto como dormido. Era el sexto partido de la final de la Liga Menor de Hockey de Ontario. Drew Christiansen. Kaz no había escuchado su nombre nunca antes, pero jamás lo podría olvidar.

Drew Christiansen, a quien él le había arruinado la vida.

Drew había recibido un pase desde el arco de los Red Wings. Kaz debía cuidarlo, era su responsabilidad. La jugada fue completamente legal, totalmente limpia. Todos estaban de acuerdo en eso: los árbitros, los funcionarios de la liga, incluso el mismo Drew. Un accidente terrible, dijeron los médicos. Una posibilidad en un millón.

Kaz recordaba la relampagueante jugada hasta en los más mínimos detalles: la desesperación por defender a su portero, la satisfacción del golpe bien asestado. Después, la nota discordante: "No se levanta". Y después: "¿Por qué tiene el cuello virado de esa forma tan extraña?".

Después vino la pesadilla real: Drew Christiansen jamás volvería a caminar.

El apretón de manos llegó justo a tiempo para equilibrar a Kaz.

—Tad Cutter, del Instituto Oceanográfico Poseidón —se presentó el hombre—. Yo voy a dirigir tu equipo de buzos.

—A mí me llaman Kaz.

Observó al hombre del instituto. En realidad, trataba de entender por qué un grupo de oceanografía de fama mundial le había dado una beca de verano a un buzo novato. Un mes antes, Kaz jamás se había puesto unas patas de rana. Había tenido que hacer milagros para lograr su certificado de buzo para poder entrar en este programa.

Observó el rostro de Cutter, con su pelo rubio y sus ojos azules, pero no le dio ninguna pista. Sonrió mostrando sus dientes blanquísimos.

—Anda con cuidado y comienza a tostarte, ¿está bien? Tengo que recoger a otro más.

Saltó a cubierta y se alejó trotando.

"¿A quién voy a engañar? —pensó Kaz—. Los de Poseidón no me eligieron por ser buen buzo. Allagash hizo que me eligieran a mí".

Steven P. Allagash era el agente deportivo que el Sr. Kaczinsky había contratado para guiar la carrera de su hijo y convertirlo en un profesional. "Ex-agente", recordó Kaz, pues Bobby Kaczinsky jamás se volvería a poner un par de patines.

Allagash se había mostrado evidentemente

preocupado ante la posibilidad de que un joven tan talentoso se le escapara.

—No tomes ninguna decisión a lo loco —le dijo—. Olvídate del hockey por un tiempo. Tómate un descanso este verano. Haz algo que hayas deseado hacer desde hace tiempo. Yo me encargo de todo. Sólo dime qué quieres hacer.

Kaz no tenía ni idea de qué iba a hacer. Desde que tenía memoria, el hockey había sido todo en su vida. Todo el verano en campamentos y todo el invierno con partidos y prácticas. Nunca había jugado otro deporte. ¿Por qué arriesgarse a sufrir una lesión que le impidiera jugar hockey? No había tenido siquiera un pasatiempo diferente del hockey.

—Vamos a ver —le dijo Allagash—, ¿qué cosas te interesan más a ti?

Una enorme pecera de vidrio copaba toda la pared posterior de la oficina de su agente. Kaz siempre se había sentido fascinado por las docenas de peces tropicales de colores brillantes que nadaban en aquel hábitat artificial.

—Los peces —respondió Kaz finalmente—. Me gustan los peces.

Los peces serían una solución. El submarinismo sería una solución. Cualquier cosa que no fuera hockey.

Soltó sus equipos en el suelo, se sentó en el

barco y fue entonces cuando se dio cuenta de que no estaba solo. Dormido en medio de una montaña de equipaje yacía otro muchacho, más pequeño que Kaz, pero probablemente de la misma edad.

El catamarán chocó contra los neumáticos que revestían el embarcadero, y el muchacho se despertó.

Se frotó los ojos tras unos lentes muy gruesos y bostezó.

—No creo que seas Adriana, así que me imagino que eres Bobby.

—Me puedes llamar Kaz —dijo, y señaló las maletas y cajas que había alrededor del muchacho sobre cubierta—. ¿Son los equipos de submarinismo?

—Son equipos de fotografía. Dante Lewis. Soy fotógrafo.

—Fotógrafo submarino, ¿verdad? —dijo Kaz.

—Eso lo averiguaremos en el viaje.

—Entonces, ¿tú también eres nuevo en esto? —dijo Kaz sorprendido.

—¿Tú también? —respondió Dante.

—Me dieron la licencia hace como diez minutos.

—Me imagino que me aceptaron porque necesitaban un fotógrafo —ofreció Dante—. ¿Y a ti por qué te aceptaron? ¿Qué sabes hacer?

Kaz trató de pensar en algo, pero no se le ocurría nada.

—Yo era jugador de hockey.

Dante miró las cálidas aguas azul turquesa del Caribe.

—No creo que el agua se congele para patinar en esta zona.

—Está bien —contestó Kaz—. No traje mis patines.

Miró con los ojos entrecerrados las velas multicolores que había por toda la bahía. Poseidón tenía uno de los mejores programas de investigación marina del mundo. Muchos científicos de renombre suplicaban para que los contrataran allí. Las becas de investigación se otorgaban a los mejores estudiantes de postgrado. Cuando ofrecieron las cuatro becas para menores de dieciséis años, seguramente recibieron miles de solicitudes. Quizás decenas de miles. Podrían haber escogido a los mejores del mundo. No tenía sentido.

Media hora después regresó Cutter con el tercer miembro del equipo. Adriana Ballantyne era una chica de trece años, alta y delgada, que parecía vestida para viajar en la cubierta de un crucero de lujo, no en un catamarán que iría de isla en isla oliendo a petróleo y pescado.

Kaz nunca había visto a nadie con una combinación de colores tan perfecta. Sus zapatos hacían juego con su cinturón, con sus lujosas gafas de sol y con las asas de piel de sus maletines.

—Tú eres submarinista, ¿verdad? —le preguntó cuando subió a bordo.

—Sí —confirmó ella—. Me imagino, más o menos. Pasé unos días en el sur de Francia haciendo submarinismo durante las vacaciones de Semana Santa del año pasado.

Kaz entendía cada vez menos.

El catamarán no sería la nave más lujosa de los siete mares, pero era un buen barco. Dos horas tomó el viaje de Martinica a Saint-Luc. Mientras bordeaban la costa, Cutter redujo la marcha.

—¡Eh! —gritó cuando aminoró el ruido de los motores—. Ahí está Star, ella es parte del equipo también. Mírenla.

Tres pares de ojos se clavaron en una figura que se movía en las aguas azules a unos doscientos metros de una solitaria ensenada. Star Ling estaba nadando bajo el agua con careta y esnórkel, moviéndose con gran destreza. Se desplazaba justo bajo la superficie, siguiendo una trayectoria rectilínea, perfecta, como si fuera un torpedo. Cuando se zambulló, su descenso fue limpio y fulminante, hundiéndose sin apurarse por volver a salir a respirar: estaba claro que tenía una inmensa capacidad pulmonar.

—Es estupenda —dijo Adriana con un suspiro.

Mientras el catamarán viró para acercarse a la costa, Star salió a la superficie y nadó hacia la playa. La vieron salir del agua y caminar hacia la arena.

En un primer momento, Kaz pensó que ella había tropezado con algo, pero después vio que repetía el movimiento varias veces.

—¡Está cojeando! Es... —estaba a punto de decir "inválida", cuando la imagen de Drew Christiansen apareció en su mente como un relámpago.

"Tú no tienes derecho a usar esa palabra —pensó Kaz—. No tienes ningún derecho".

Cutter se echó a reír.

—No lo repitas delante de ella. Es una de las personas más fuertes que he conocido.

"Tres novatos y ahora esto", pensó Kaz.

¿Quién escogería a los participantes en Poseidón?

CAPÍTULO DOS

El Dr. Geoffrey Gallagher señaló con su puntero el demacrado esqueleto blanco que estaba montado en la pared al lado de su escritorio: las fauces abiertas, de un metro de ancho, de un tiburón blanco.

—Pueden ver que los dientes son como los de una sierra —explicó el director de Poseidón mientras miraba la luz roja de la cámara de video que lo enfocaba—, inclinados claramente hacia adentro, de modo que cada mordida jala a la presa hacia adentro. Se dice que el *Carcharodon carcharias* es el depredador perfecto, la cúspide de la cadena alimentaria del océano. Y yo lo sé por experiencia propia.

Le dio un golpecito a uno de los afilados dientes. La mandíbula superior cayó contra la inferior cortando limpiamente en dos el puntero. El Dr. Gallagher, asustado, dio un salto hacia atrás.

—¡Corte! —gritó el camarógrafo doblándose de la risa.

Alguien llamó a la puerta.

—Más tarde —gritó Gallagher mientras buscaba otro puntero.

EL DESCUBRIMIENTO

Volvieron a tocar a la puerta, esta vez más fuerte e insistentemente.

—¡Ahora no!

La puerta se abrió y entraron Bobby Kaczinsky, Dante Lewis, Adriana Ballantyne y Star Ling.

En ese momento, Gallagher pareció no tener la más mínima idea de quiénes eran los cuatro adolescentes. Saint-Luc no era una isla turística como Martinica o Aruba, de modo que los únicos muchachos que había por allí eran los que vivían en la isla. Pero entonces recordó las becas de verano.

Ah, eran esos muchachos. Le había rogado a la oficina central de San Diego que los enviasen a otro lugar. Pero no, tenía que ser aquí. Poseidón incluso había mandado a un equipo de especialistas desde California para dirigir el programa: Tad Cutter y su gente.

—¡Bienvenidos! —dijo con una sonrisa mientras escondía el puntero roto bajo unos papeles en su escritorio—. Será un verano fascinante para ustedes, jovencitos. Estoy seguro de que van a participar en muchas investigaciones importantes.

Los muchachos se quedaron en silencio, como esperando que continuara su explicación. Él los miró fijamente, como diciéndoles que se retiraran.

Finalmente, Star dio un paso hacia adelante.

—Pero Dr. Gallagher, ¿qué vamos a hacer?

—En Poseidón Saint-Luc hay mucho que hacer —explicó Gallagher—, hacemos docenas de proyectos al mismo tiempo...

—Quiero decir, qué vamos a hacer ahora —insistió—. ¿Qué vamos a hacer hoy?

La pregunta tomó a Gallagher por sorpresa.

—Bueno, ¿qué ha dicho el Sr. Cutter sobre eso?

—No lo hemos visto desde ayer —intervino Kaz.

—¿Desde ayer? —dijo el director sorprendido.

Otro hombre que estaba en la habitación, de pelo gris, fornido y de poca estatura, había estado observando la grabación del video con una expresión risueña en el rostro. Braden Vanover era uno de los capitanes de barco que trabajaba para Poseidón. Finalmente decidió intervenir:

—Cutter y su equipo salieron al amanecer en el barco de Bill Hamilton.

La voz del director del programa reveló su frustración:

—¿Por qué no llevaron a estos muchachos? Esa es la única razón por la que Cutter y su gente están aquí. Si no llevaron a los muchachos, ¿que están haciendo, tomando el sol?

Gallagher vio que el camarógrafo lo observaba atentamente y se calló. Jacques Cousteau jamás perdió la compostura cuando lo estaban filmando.

El capitán Vanover se levantó. No tenía ninguna relación oficial con el programa de becas, pero le daba pena la situación de los muchachos. Era obvio que Cutter los ignoraba.

—Mira, voy a llamar al Inglés y me los voy a llevar para que se mojen los pies por lo menos.

Gallagher lo miró agradecido.

—¡Perfecto, muy buena idea! ¿Oyeron eso, muchachos? Hoy van a ir a hacer un poco de submarinismo —dijo mientras le ponía un brazo sobre los hombros a la muchacha—. Y estoy seguro de que tú podrás entretenerte en algo mientras los demás están en el agua.

Los ojos de Star relampaguearon. Era obvio para todos, excepto para el director, que lo que había dicho era totalmente inapropiado. Ella estaba a punto de decir algo, ya había abierto la boca, cuando Kaz intervino:

—Star es buzo como nosotros, Dr. Gallagher —aclaró apresuradamente—. En realidad, es la mejor del grupo.

—Sí, por supuesto —respondió Gallagher y comenzó a colocar la mandíbula superior del tiburón blanco en su lugar. Por poco pierde un dedo cuando la mandíbula se le escapó de las manos y volvió a cerrarse.

Cuando llegaron al camino de grava que conducía a las cabinas para visitantes, Star se dirigió al jugador de hockey.

—¿Y desde cuándo tú eres responsable de defenderme? —le preguntó—. Si tengo algo que decir, prefiero decirlo yo misma.

—Sí, bueno, quizás ese es el problema —respondió Kaz—. Si le hubieras dicho a Gallagher que es un idiota (y lo es, en eso hubieras tenido toda la razón), el jefe de este instituto se habría enojado con todos nosotros. Por lo tanto, no te estaba protegiendo a ti, me estaba protegiendo a mí mismo.

—De todas formas —dijo ella por lo bajo—, no te metas en mis cosas.

—Puedes estar segura de eso —le respondió él.

—¡Eh! —dijo Dante—. Tenemos la oportunidad de hacer algo interesante, no lo echen a perder.

CAPÍTULO TRES

Star se sentó en la cubierta del *Hernán Cortés*, observando cómo desaparecía la bahía de Côte Saint-Luc en el resplandor del despiadado sol del Caribe.

—Los arrecifes del noreste de la isla son espectaculares —dijo el capitán Vanover desde la cabina—. Son parte de los Bancos Escondidos de las Indias Occidentales francesas. Es el mejor lugar del mundo para hacer submarinismo.

Star tembló de emoción.

—¡Ya lo sé! —exclamó. No lo sabía por experiencia propia, pero antes del viaje había leído todo lo que había caído en sus manos sobre las formaciones coralinas de Saint-Luc. Esta era una gran oportunidad, y quería aprovecharla al máximo.

Kaz, Dante y Adriana estaban batallando para ponerse los trajes de buzo. Y no era fácil. Parecían tres damas muy gordas tratando de meterse en unos vestidos muy pequeños. ¿Serían submarinistas o payasos de circo?

Star sabía ponerse un traje de buzo con la misma facilidad con que se ponía un guante. Era cuestión de tres segundos para ella, a pesar de su pierna mala. Su secreto era ponerse detergente líquido de lavar platos para lubricar la piel. Así lograba meterse fácilmente en el fino traje de goma.

Hizo una mueca al recordar que el Dr. Gallagher había pensado que ella no podía ser buzo. La gente era tan idiota cuando se trataba de personas con discapacidades. Te miraban, te tenían lástima y trataban de hacértelo todo fácil. Para Star Ling, su cojera era lo más normal del mundo. Un caso poco severo de parálisis cerebral, eso era todo: cierta debilidad en el lado izquierdo del cuerpo. Por supuesto que no lo recordaba, pero el problema se hizo evidente desde que dio sus primeros pasos. Era parte de ella, y siempre había sido así.

No es que fuera insignificante. Ella no trataba de engañarse a sí misma sobre el asunto. Nunca podría ganar una carrera de atletismo ni bailar con el Bolshoi. Pero en el agua todo era distinto. No sentía ninguna debilidad, ninguna asimetría. Se había dado cuenta de ello la primera vez que fue a la piscina pública de su condado, cuando tenía cuatro años. Y aún lo sentía cada vez que se paraba en el trampolín de un barco. Las leyes de la física que la frenaban en tierra desaparecían en un torbellino de comodidad y ligereza que parecía decirle: "Estás en tu casa".

Sus ojos miraron a la popa, donde el único miembro de la tripulación del capitán Vanover estaba sacando los pesados tanques de oxígeno como si fueran plumas. Menasce Gérard era un musculoso guía de buceo de la isla que medía un metro y noventa y cinco centímetros y que tenía un curioso sobrenombre: "el Inglés". Nadie hubiera parecido menos inglés que el Inglés, un joven de las Indias Occidentales cuya lengua materna era el francés. En secreto, Star le había puesto otro apodo: el Sr. Personalidad. El tipo era la persona con menos sentido del humor que ella jamás había conocido.

Habían estado en el barco casi media hora y el hombre ni siquiera había esbozado una sonrisa. De hecho, ella no hubiera podido decir si tenía dientes, pues apenas abría la boca. Contestaba casi todas las preguntas con gestos y gruñidos.

Pero eso no impidió que Adriana tratara de conversar con él. Quizás eso era lo normal en el club de ricachones al que su familia pertenecía. Simplemente seguías hablando sin notar que no te contestaban nada.

—¿Y por qué te llaman el Inglés? —le preguntó Adriana—. Tú eres francés, ¿no? Quiero

decir, la gente de Saint-Luc tiene ciudadanía
francesa.

El Inglés apenas se encogió de hombros mientras revisaba los controles de presión de los cilindros de aire comprimido.

—Tú no te llamas Inglés —continuó ella—.
No me imagino por qué alguien querría llamarte
así.

—¿Terminarás de una vez? —gruñó Star—.
Yo conocí una vez a un tipo al que llamaban
Cuatro Ojos que no usaba lentes. Le dicen el
Inglés y se acabó. ¿Cuál es tu problema?

Pero Adriana no estaba dispuesta a dejar el
tema.

—¿Alguna vez hubo ingleses en Saint-Luc?

En ese momento, el enorme guía decidió
romper su silencio.

—Sí... y no.

—¿Sí y no? —preguntó Dante.

—Saint-Luc, bueno, esto siempre fue francés.
Pero, *alors*, en los viejos tiempos —dijo con una
mueca—. Sí y no.

—Él quiere decir que en otros tiempos había
gente de todos los lugares por todo el Caribe
—aclaró Vanover—. Las tripulaciones de los barcos piratas estaban formadas por gente de muchas nacionalidades. Y los mercantes también.

Había asaltos y naufragios. Nunca sabías adónde iría a parar un inglés o cualquier otra persona.

—Pero en esa época un naufragio era prácticamente una condena a muerte —señaló Adriana—. Los marineros no aprendían a nadar. Y esto era a propósito. Preferían ahogarse inmediatamente a prolongar su agonía.

—Gracias, Srta. Buenas Noticias —le dijo Kaz, guardando el puñal de buzo en una vaina que llevaba en el muslo.

El capitán estaba realmente impresionado. Como los otros, había creído que Adriana era una niña rica que buceaba porque coleccionaba pasatiempos de la misma manera que lo hacía con la ropa costosa.

—No mucha gente sabe eso —le dijo—. ¿Has estado leyendo sobre el Caribe?

Adriana se ruborizó.

—Mi tío es curador en el Museo Británico de Londres. He pasado un par de veranos trabajando para él. Algo se aprende.

Frunció el ceño al decirlo. Este año no había podido ir a trabajar al museo porque su tío Alfie estaba en Siria a cargo de una excavación arqueológica. Y lo que era peor, le habían permitido llevar a un ayudante y había escogido a Payton, el hermano mayor de Adriana. Eso había dejado a Adriana sin ningún plan para el verano, lo cual no era tolerado por los Ballantyne. Los padres de Adriana pasaban el verano viajando a lugares de moda para codearse con supermodelos, duques, estrellas de rock y millonarios del Internet. Desde que tenía memoria, ni ella ni Payton habían pasado una vacaciones de verano en familia.

Adriana imaginaba a sus padres tratando de poner a su hija en cualquier museo o institución científica de suficiente prestigio como para tener un Ballantyne en sus filas. Por suerte, Poseidón era una institución muy prestigiosa y su certificado de buceo era válido. Pensaba que había podido entrar gracias a las conexiones de su familia, pero ahora no estaba muy segura. Ninguno de los otros parecía estar mejor calificado que ella para este programa, excepto Star.

Al acercarse al límite de los Bancos Escondidos, Vanover apagó el motor y el Inglés subió hasta la cofa para ver si había corales a flor de agua que pudieran ser un peligro para el barco. En los arrecifes no era extraño encontrar torres de corales que crecían en busca de la luz del sol y que casi llegaban hasta la superficie. Durante siglos, muchos barcos habían naufragado al chocar con esas formaciones.

Finalmente anclaron y comenzaron los

preparativos para el buceo. A Kaz le parecía que la revisión de los equipos no terminaría nunca. ¿Están llenos los tanques? ¿Tienen puestos los cinturones de plomos? ¿Sale aire comprimido por las válvulas de regulación? ¿Se inflan y desinflan bien los chalecos de control de flotación? Era como la clase para sacar la licencia, donde te trataban como a un niño de preescolar. ¿Llegaban los buzos alguna vez a bucear? ¿O se pasaban todo el tiempo en los preparativos?

Dante violó la primera regla de buceo al tratar de caminar con las patas de rana puestas. Cayó de bruces y estuvo a punto de romper su cámara submarina Nikonos que llevaba atada a la muñeca. El Inglés lo ayudó a levantarse mirándolo con cara de lástima.

Por fin, se metieron en el agua y se quedaron un momento en la superficie para organizarse por parejas.

Kaz escupió en su careta para que no se nublara. Se la colocó sobre los ojos y la nariz e inhaló para crear una fuerza de succión que sellara la careta a su rostro. Mordió el regulador y desinfló el control de flotación hasta sumergirse bajo las olas, apretando la nariz de su careta y espirando para controlar la presión en sus oídos.

Ya estaba bajo el agua. Era sólo su tercera inmersión, pero en cada ocasión se había quedado maravillado ante este extraño y silencioso mundo, tan cercano y tan oculto al mismo tiempo. La gente hablaba de "escapar de la realidad" leyendo un libro o viendo una película. Pero esto sí era escapar de la realidad. Aquí abajo, el hockey parecía estar a mil millas de distancia, era como un oscuro pasatiempo perteneciente a otra vida.

Sus dos inmersiones para sacar la licencia habían sido en el frío y turbio lago Simcoe, al norte de Toronto. Por eso, el paisaje submarino iluminado por la luz del sol del Caribe le parecía maravilloso. La visibilidad parecía ser infinita, pero eso no era lo más increíble. ¡Había tanta actividad en estas aguas, tanta vida! La pecera de Steven Allagash era un terreno baldío en comparación con esto. Miles de peces de diferentes tamaños y colores se movían en todas direcciones.

Un chiribico de franjas brillantes se acercó a observarlo. Kaz estaba fascinado.

De pronto, una sombra pasó sobre su cabeza. Como un relámpago violento, un mero gordo y redondo descendió y se engulló a su indefensa presa.

"Guau. Lo siento, amigo. Hay que estar muy atento, aquí impera la ley de la selva".

Entonces recordó a Dante, su pareja de

buceo, y lo buscó a su alrededor. Para no tener que usar sus gafas bajo el agua, el fotógrafo tenía una careta con cristal de aumento graduado a su medida que distorsionaba sus rasgos, mostrando una nariz protuberante bajo unos ojos inmensos. Le daba una expresión de susto o de locura. Kaz se rió... y tragó agua al hacerlo. "Concéntrate", se recordó tosiendo.

Dante obviamente estaba muy impresionado por el entorno, pues le estaba tomando fotos a cada camarón y pececito que veía. A los seis minutos de meterse en el agua, el fotógrafo se había quedado sin rollos.

Incluso a través de su careta y una nube de burbujas, el disgusto del Inglés era evidente. Con impaciencia, agarró a cada uno de los novatos por la muñeca y comenzó a nadar para llevarlos a los arrecifes. Un poco más allá, vieron a las muchachas nadando en la misma dirección.

Al acercarse al arrecife, los espectaculares detalles de las formaciones coralinas se hicieron visibles. Los colores eran increíbles, casi irreales, como si los hubiese producido un departamento de efectos especiales de Hollywood. Las figuras eran definitivamente extraterrestres: inmensos penachos de corales lechuga; ramas de corales cuerno de ciervo; montañas de corales cerebro del tamaño de un camión, unos sobre otros en una montaña cuya cima estaba a unos tres metros de la refulgente superficie del agua.

Kaz miró su reloj de buzo y se sorprendió al ver que habían descendido a más de diez metros, el doble de lo que jamás había descendido antes.

Adriana extendió el brazo para tocar el coral. Como un relámpago, Star se acercó y la agarró de la muñeca. La experimentada buzo le hizo un gesto como de regaño con el dedo.

"Yo sabía eso", pensó Kaz. El arrecife coralino era un organismo vivo, compuesto de millones de diminutos animales llamados pólipos. Incluso el contacto más delicado mataría la capa exterior de animales, dañando el arrecife. Por no decir que los pólipos picarían el dedo que los tocara.

El Inglés indicó con la mano que descendieran y los llevó a veinte metros de profundidad, a la base del arrecife. Kaz puso su chaleco en flotación neutral para detener el descenso. "Yo podría ser bueno en esto", pensó, satisfecho de estar desarrollando un talento que no tuviera nada que ver con patinar, tirar al arco o intentar matar a otros jugadores.

Aquí las formaciones coralinas daban paso a una variada flora marina que crecía en el fondo arenoso: los verdaderos Bancos Escondidos.

EL DESCUBRIMIENTO

Había organismos vivos por todas partes, aunque no eran tan coloridos como los que había más arriba en el arrecife. A esta profundidad, los rayos del sol no podían penetrar completamente. Era una zona entre dos luces.

A Kaz le llamó la atención un pequeño y veloz movimiento un poco más abajo. Al principio parecía como si la arena misma estuviera hirviendo y convirtiéndose en pequeños demonios marinos de polvo. Inclinó el cuerpo para que su careta quedara justamente encima del fenómeno y lo miró con atención.

De pronto, la arena desapareció, y vio un ojo que lo miraba fijamente.

—¡Oh! —su grito de sorpresa le hizo soltar el regulador que llevaba en la boca.

Era increíble lo alto que escuchaba su voz bajo el agua. Y no sólo él, pues Dante enseguida se acercó a él.

Una oscura masa salió como una explosión de la arena del fondo, dejando detrás una oscura nube de tinta.

—¡Un pulpo! —gritó Dante, soltando también el regulador.

La identificación era innecesaria. Kaz podía ver los ocho tentáculos ondulando tras el cuerpo que se alejaba. Era tan fluido que era difícil determinar su tamaño: quizás se tratara de un pulpo joven de ochenta centímetros.

El Inglés salió de la nada, se colocó en la ruta de escape del pulpo y dejó que llegara hasta él. Lo agarró por dos de los tentáculos. Al instante, la criatura se tornó anaranjada antes de envolverse a sí misma y al guía en una nube de tinta mucho más grande que la anterior.

Kaz los perdió de vista al tratar de recuperar su regulador, pero pudo ver por un momento al Inglés, ya mucho más arriba, llevando su presa a la superficie.

Dante sacó su pequeña pizarra submarina del bolsillo de su chaleco de flotación. Con el lápiz atado a ella, escribió un mensaje en el rígido plástico y se lo mostró a Kaz. Decía: "¿CENA?".

Kaz se encogió de hombros.

El guía regresó casi al instante, pero la oscura cara detrás de la careta no daba ninguna pista acerca de la suerte que había corrido el pulpo.

El grupo ya llevaba media hora buceando. El Inglés los llevó a otra sección del arrecife, una suave colina ascendente donde estarían más cerca de la superficie cuando el oxígeno comenzara a escasear. Era importante ascender lentamente para evitar la descompresión. Si un buzo asciende muy rápido, el repentino descenso de la presión del agua produce el mismo efecto que cuando se destapa una lata de refresco. El nitrógeno de la sangre puede hacer burbujas como una Pepsi. No es ningún chiste, puede dejar a una persona inválida para toda la vida o matarla.

Mientras observaba la superficie iluminada por la luz del sol, Kaz se sentía cada vez más a gusto. Con cada minuto que pasaba, su técnica y sus movimientos se volvían más automáticos, permitiéndole disfrutar la vista del arrecife y sus habitantes. "Si esto sigue así —pensó medio en broma—, podría llegar a gustarme el buceo".

Ese pensamiento acababa de cruzarle la mente cuando vio una silueta. Era extraña y familiar al mismo tiempo, y venía directamente hacia él: la aleta dorsal triangular, los ojos negros sin expresión, el puntiagudo morro.

"Un tiburón".

CAPÍTULO CUATRO

En un instante pasaron por su mente miles de fotos y diagramas, las imágenes de pesadilla de una biblioteca personal de libros sobre tiburones. Un tiburón nodriza, probablemente. Tal vez un tiburón de arrecife de más de un metro de largo: diminuto si lo comparaba con el de la película *Tiburón*.

"Pero cuando te encuentras con uno de verdad, con todos sus rasgos de espanto, todas sus armas en el lugar indicado..."

En ningún momento pensó en tratar de escapar nadando o salir a la superficie. Se quedó donde estaba, más inmóvil que una piedra, viendo al gran pez acercarse lentamente.

"Vete de aquí —le rogó en silencio—. No te me acerques".

Ahora podía ver los dientes. Y supo, en el mismo centro de su ser, que este depredador venía con el propósito de atacarlo a él y sólo a él.

Jamás se hubiese creído capaz de sentir un pánico semejante. Sin darse cuenta de lo que hacía, agarró el puñal de buzo y se lanzó hacia el tiburón, clavándole el puñal en la suave piel de la parte inferior. Unos fuertes brazos lo agarraron por detrás, pero nada podía detenerlo ahora. Con una puñalada mortal, le abrió el vientre al tiburón de proa a popa.

El animal convulsionó batiendo las mandíbulas. Después comenzó a hundirse, dejando tras de sí un nuboso rastro de sangre. Kaz sintió que lo volteaban y se halló ante la mirada furiosa de Menasce Gérard. El guía le indicó enfáticamente que subiera a la superficie.

Kaz negó con la cabeza. ¿No se daba cuenta? El peligro había pasado; el tiburón estaba muerto.

El Inglés no perdió tiempo en dar una segunda orden. Agarró firmemente el brazo de Kaz, infló su chaleco de flotación y arrastró al muchacho hacia la superficie. Salieron a diez metros de la proa del *Cortés*.

—¡Vete al barco!

Kaz estaba sorprendido.

—Pero ¿cuál es el problema? Yo lo maté.

El guía estaba completamente enfurecido.

—¡Al barco! ¡*Vite*!

Los cinco buzos se fueron hacia el barco nadando entre las suaves olas.

Mientras nadaba, Kaz aún temblaba de emoción por su aventura con el tiburón. Estaba aterrorizado y entusiasmado al mismo tiempo. Había pasado años practicando un deporte al máximo nivel y, sin embargo, nada hubiera podido prepararlo para la increíble emoción de una lucha a muerte. El mundo jamás le había parecido tan nítidamente vivo.

El Inglés se adelantó, pateando espuma con sus patas de rana como la rueda de un ferry. Subió al trampolín, se quitó el equipo con un solo movimiento y comenzó a sacar a los muchachos fuera del agua, gritando como un poseso.

El capitán Vanover apareció sobre cubierta.

—¿Qué sucedió?

El Inglés miró a Kaz con unos ojos chispeantes.

—¿Por qué hiciste esa estupidez? ¿Acaso estás loco? ¿*Fou*?

Kaz lo miró sorprendido.

—Estaba tratando de protegerme.

—Ese pececito no te iba a atacar.

—¿Cómo lo sabes? Venía directamente hacia mí.

—¡Pues te quitas del medio, *alors*! —rugió el Inglés—. Es así de fácil.

—Lo siento, ¿está bien? —dijo Kaz en tono defensivo—. Siento haber interrumpido a todo el mundo. Volvamos y terminemos nuestra sesión de buceo.

—¡*Oui, bien sûr!* —dijo el guía—. Maravillosa idea. Usted primero, *monsieur*.

Kaz hizo una mueca de disgusto.

—¿Cuál es el problema?

Pero entonces lo vio. En el sitio donde habían estado buceando había una masa de aletas, colas y finos cuerpos. Un banquete de locura, docenas de tiburones tratando de devorar el cuerpo del tiburón muerto, creando una carnicería con aquella carga frenética de hambrientas mandíbulas.

—La sangre en el agua, muchacho —le explicó el capitán cortésmente—, es como la campana para la cena.

Todo el sentimiento de heroísmo de Kaz se transformó ahora en una sensación de náusea. Si no hubiera sido por el Inglés, habrían estado ahora en medio de aquello, descuartizados por los tiburones gracias a su error.

El guía se volvió entonces a Vanover.

—Yo no tengo nueve vidas. ¿Por qué me hacen bucear con bebés? Excepto esa muchacha —dijo señalando a Star—. Ella sí sabe. Pero estos tres... bah.

Recogió sus equipos, saltó a cubierta y se metió en la bodega rápidamente.

Los cuatro adolescentes se quedaron clavados en el trampolín, sin saber qué debían hacer a continuación.

El capitán se dio cuenta de que se sentían intimidados.

—¿Se sentirían mejor si les dijera que tiene un corazón de oro?

—Él no es malo —dijo Star.

—Eso crees tú por lo que dijo de ti —la acusó Dante.

—Bueno, yo sé bucear —respondió ella.

El fornido marinero se inclinó y comenzó a ayudarlos a subir a cubierta.

—Yo estrangularía a todos esos imbéciles de Hollywood por obsesionar a todo el mundo con los tiburones. En estos arrecifes un buzo no corre ningún peligro. Si te encuentras con un tiburón allá abajo, puedes estar seguro de que él tiene más miedo de ti que tú de él. Excepto Clarence, quizás.

Los cuatros pares de oídos prestaron atención.

—¿Clarence? —repitió Kaz mientras se quitaba las patas de rana que chorreaban agua.

—Hace cinco o seis años —les contó Vanover—, tuvimos una invasión de peces aguja. No se podía poner un pie en el agua sin tropezar con una aleta. Los tiburones vinieron

unos días después. Tiburones tigre. Grandes. Se
apoderaron de la zona por dos semanas. Nadie
buceaba ni nadaba en la zona, ni siquiera
pescaban aquí. Un científico estúpido metió un
sónar en el agua. Cuando lo sacó, parecía un
colador. Cuando los peces aguja se fueron, los
tiburones se fueron también. Nadie sabe por qué
Clarence no se fue con los otros. Quizás era demasiado viejo para seguirlos.

—¿Quiere decir que aún anda por aquí?
—preguntó tímidamente Adriana.

—Cada dos o tres meses alguien lo ve —respondió el capitán—. Nunca ataca a nadie. De
todas formas, uno no se pone a jugar con un
tiburón tigre de seis metros. Pero las otras ratas
de arrecife que hay por aquí son inofensivas.

Los jovencitos miraron hacia el lugar donde
los tiburones seguían con su banquete.

—Bueno —dijo Vanover—, si echas sangre
en el agua la cosa cambia. Los tiburones también
tienen su límite. El puñal de buzo no es un arma
de ataque. Es para cortar los cabos o las
mangueras enredadas en caso de emergencia.
Lo usas cuando no te queda otro remedio. Yo no
lo sacaría ni aunque me encontrara con una barracuda. Lo único que ve la barracuda es un
destello plateado, como cuando ve los peces de
los que se alimenta. Y si lo ve, atacará, no lo du-

den —dijo Vanover con una sonrisa benigna—. Y ahora quítense esos trajes de buzo mojados antes de que comiencen a oxidarse.

Los muchachos se sentaron muy compungidos en la borda de estribor mientras el *Hernán Cortés* los llevaba de vuelta a la bahía de Côte Saint-Luc.

—Yo sabía todo eso que dijo sobre los tiburones y las barracudas —comentó Star—, pero no me quería hacer la alumna aplicada.

—Yo tampoco —dijo Kaz—. Por eso hice que el Francés Furioso se enojara conmigo.

—Es terrible —coincidió Adriana—. Si tuviera que escoger entre él y los tiburones, preferiría lidiar con los tiburones.

—Yo no —dijo Dante pensativo—. ¿Oyeron el cuento del tiburón tigre? Esos sí atacan a los seres humanos, ¿no?

Star resopló.

—En el mar hay muchas cosas peligrosas, pero si te dejas dominar por el miedo, nunca saldrías de tu casa por temor a que un oso fuera a salir del bosque y atacarte. Mucha gente se pasa la vida entera buceando y jamás tiene ningún problema. Sí, hay un tiburón tigre por ahí. ¿Y eso qué importa? El mar está lleno de animales. Por eso nos zambullimos en él.

Los ojos de Kaz se clavaron en un extraño

equipo montado en el mamparo de la base del puente del *Cortés*, detrás de un montón de chalecos salvavidas anaranjados. Parecía una cuna de bebé desarmada, pero con paneles de barrotes más grandes y hechos de titanio. Lo había visto antes, y le pareció un objeto conocido. Ahora se dio cuenta de lo que era: una jaula de protección contra tiburones que tenía hasta tanques de lastre y panel de controles.

"Si los tiburones son tan inofensivos, ¿para qué necesita esta gente una jaula de protección?".

Dante interrumpió sus reflexiones.

—Hablando de animales...

Kaz miró hacia donde apuntaba su dedo: un gran balde de metal que estaba junto a la cabina de mando. Estaba lleno de agua hasta el borde. Con cada movimiento del barco se derramaba un poco de agua sobre la cubierta. Miraron fascinados cómo un tentáculo gris del color del metal galvanizado del balde se asomaba tímidamente por encima del borde. Un momento después, el pulpo se subió al borde del balde y se dejó caer sobre la cubierta. Inmediatamente, comenzó a moverse como una ameba hacia la salida más cercana. Cuando vio a los cuatro adolescentes, se quedó inmóvil por un instante con los ojos clavados en ellos mientras su cuerpo se tornaba del color verde oliva de las tablas de la cubierta.

—Apúrate, jefe —le susurró Dante—. Si no, él te va a cocinar.

El pulpo pareció seguir su consejo al pie de la letra. Se deslizó hacia la borda y en un instante desapareció en las aguas.

Mientras estaban bajando los equipos en un embarcadero de la bahía de Côte Saint-Luc, Menasce Gérard miró por primera vez el balde vacío donde alguna vez había estado su cena. Su expresión se tornó borrascosa. Adriana le leyó el pensamiento y sintió la mirada acusadora.

—Le juro que nosotros no hicimos nada, Sr. Inglés. El pulpo salió del balde, se deslizó por la cubierta y saltó al mar. ¡Se lo juro!

Pero una vez más, el guía de buceo comenzó a dar gruñidos... gruñidos de sospecha.

17 de abril de 1665

Con trece años de edad, Samuel Higgins recordó a su madre, pero la imagen mental se iba desvaneciendo.

Después de todo, él sólo tenía seis años cuando los hombres de Sewell habían venido a buscarlo. Era tan pequeño que tuvieron que llevarlo en brazos, pateando y chillando, dentro de un saco. Fue un secuestro, sin dudas, pero ningún gendarme ni juez vino jamás desde la lejana Liverpool a buscarlo. ¿Qué recompensa se habría ofrecido por él? La familia de Samuel no tenía dinero. Y ahora, el niño de seis años no tenía familia.

No hubiera sido difícil hallarlo si alguien se hubiera molestado en buscarlo. Sewell, el limpiador de chimeneas, tenía muchos muchachos trabajando para él: todos de escasa estatura, mal alimentados, abandonados o secuestrados. Samuel resultó ser muy bueno en el sucio trabajo de limpiar chimeneas. Podía trepar por las chimeneas con tanta facilidad como si estuviera paseando por una de las callejuelas adoquinadas de la ciudad portuaria. Y, a diferencia de los muchachos que trabajaban con él, no le crecieron demasiado las piernas o los brazos, ni se le ensancharon mucho los hombros cuando llegó a la adolescencia.

—No te preocupes, muchacho —le repetía riéndose el Sr. Sewell una y otra vez—, he visto cien como tú. Te matarás de una caída mucho antes de que crezcas lo suficiente como para no caber en las chimeneas.

El hombre era tan inteligente como cruel, pero en este caso se equivocaba. Samuel no sucumbió nunca a uno de los terribles accidentes que extinguió la breve vida infeliz de otros muchachos. Y, finalmente, llegó un día en que Samuel ya no cupo en los estrechos y sucios túneles donde se había ganado la vida desde los seis años.

—Lo siento, muchacho —le había dicho Sewell—. Si no trabajas, no puedo mantenerte y alimentarte.

No había sido aquella una familia amorosa, pero al menos él era parte de ella. Ahora lo habían expulsado. Al principio pensó volver al campo, donde vivía su madre, pero no estaba seguro de dónde podría encontrarla, ni siquiera sabía si aún vivía. Esta vida, con Sewell, era la única que recordaba. Y se había acabado.

Se enroló en el Griffin por un plato de carne cocida y la promesa de un salario en el futuro. Sin dudas, no era lo que llamaban un jugoso contrato, pero

considerando que su empleador anterior lo había se-
cuestrado, este representaba su libertad, y estaba
muy satisfecho. En aquel entonces no tenía ni idea de
cuál era el verdadero propósito del Griffin y su flota,
ni qué negocios lo esperaban en el vasto océano que
se extendía hacia el oeste hasta un Nuevo Mundo. Lo
único que sabía era que tenía un sitio en la cocina
para comer y un pequeño rectángulo en las tablas de
la cubierta, fuera del camarote del capitán, para
dormir. Era un hogar.

Samuel era el sirviente del capitán James Blade.
Tenía miles de obligaciones: desde llevarle las comi-
das al capitán, limpiar y cepillar su uniforme y sus
pelucas, hasta llevar sus mensajes a los miembros de
la tripulación y vaciar su bacinilla en la mañana.

Para el capitán Blade, Samuel era menos que un
ser humano, era un utensilio, como una cuchara o
una navaja de afeitar. "¡Muchacho!", le gritaba
cuando necesitaba algo, o a veces le decía simplemente: "Oye, tú".

Una vez, Samuel tuvo la audacia de decirle: "Me
llamo Samuel, señor". El capitán sacó inmediatamente un látigo que llevaba enrollado a la cintura y
lo golpeó en la cabeza con el mango de hueso.

—Puedes navegar en este barco o nadar entre las
olas: escoge, muchacho. ¡Pero no abras la boca!

El golpe tumbó a Samuel, que cayó por la es-

cotilla hacia el camarote del capitán, lanzando en to-
das direcciones la comida que llevaba en la bandeja.

—*¡Y limpia ese desastre!*

El mango del látigo tenía incrustada una esme-
ralda del tamaño de una bala de mosquete que le
dejó a Samuel un profundo y sangriento tajo en la
mejilla. La herida no dejó de sangrar hasta que
pasaron las Islas Canarias.

CAPÍTULO CINCO

Tad Cutter y su equipo habían sido enviados desde la oficina central de Poseidón en San Diego, California, para hacer un mapa de los arrecifes de los Bancos Escondidos del noreste de Saint-Luc. Como muchas misiones científicas, los resultados podían ser muy interesantes, pero la recolección de información era un trabajo realmente aburrido.

El trabajo consistía en arrastrar un sónar que iba midiendo la profundidad a la que se hallaba el lecho marino. Para cubrir un área de 440 km cuadrados de océano, habría que trabajar cada minuto de las ocho semanas que se habían destinado a este proyecto. Para ayudarlos, a Cutter y su tropa les habían asignado los cuatro becarios. Pero cuando pasaron los primeros días del verano, Kaz, Dante, Adriana y Star se dieron cuenta de que el equipo de Cutter los ignoraba por completo.

Día tras día, los cuatro despertaban en sus cabinas de la instalación de Poseidón y escuchaban la misma noticia: el capitán Bill Hamilton y su *Ponce de León*, el barco asignado a Cutter, ya estaban en el mar haciendo el rastreo. Cutter siempre tenía una excusa:

—Lo siento, muchachos, pero es que estamos muy ocupados. Recolectar tanta información en un par de meses no nos deja tiempo para entretenernos. Si no están a bordo a las cinco de la mañana, tenemos que salir sin ustedes.

Al día siguiente, llegaron al muelle a las cinco en punto sólo para comprobar que el *Ponce de León* había soltado amarras a las cuatro y treinta. Al día siguiente llegaron a las cuatro. Cuando llevaban tres horas esperando se dieron cuenta de que Cutter y su equipo habían salido en el catamarán para ir a Martinica a buscar provisiones.

—Tenemos que quejarnos —dijo Dante—. Esta es nuestra beca, y ellos no nos dejan hacer nada. Es un fraude.

Pero no había con quién quejarse. El Dr. Gallagher estaba demasiado ocupado y no podía recibirlos. Cuando se topaban con él en el instituto, siempre estaba dándole una conferencia a la cámara de video que parecía seguirlo a todas partes como una cola. Además, el director ahora llevaba el antebrazo vendado y en un cabestrillo. Todos estaban seguros de que aquello debía de estar relacionado de alguna manera con las mandíbulas del tiburón blanco.

—Si no se va pronto de aquí —observó Kaz—, uno de estos días la cosa esa se va a soltar de la pared y lo va a devorar.

El capitán Vanover los compadecía, pero eso no servía de mucho.

—Ya sé que es una lata, pero Tad probablemente no lo está haciendo a propósito. Los investigadores... cuando le clavan los dientes a un proyecto son como zombis. Comen, duermen y respiran trabajo. No se pueden concentrar en nada más. No se enojen por eso. En algún momento les tocará a ustedes.

—Tal vez —gruñó Dante—, pero ¿en qué año?

Vanover les prometió llevarlos a bucear otra vez, pero el *Hernán Cortés* estaba reservado para otros científicos casi todos los días, por lo que tendrían que esperar el día que el barco no estuviera reservado. Entre tanto, el capitán les prometió hablar del asunto con Bill Hamilton.

La otra persona que conocían en el instituto era el Inglés, y nadie se sentía inclinado a pedirle ningún favor. Cuando se topaban con él en los pasillos o en los caminos de grava, se echaban a un lado y él hacía como si no los hubiera visto.

—Deberías hablar con él —le dijo Dante a Star—. Tú le caes bien.

—A él nadie le cae bien —dijo ella—. Me detesta un poco menos que a ustedes. Y además, él aquí no decide nada.

Poseidón era sólo un trabajo parcial para el Inglés, su trabajo principal era como buzo de escafandra en las plataformas petroleras que estaban en la costa oeste de la isla. Allí su destreza y su valor eran legendarios. Trabajaba a profundidades increíbles de trescientos metros o más, soldando tuberías submarinas y reparando excavadoras y equipos que pesaban cientos de toneladas.

Cuanto más sabían sobre Menasce Gérard, más intimidados se sentían por él.

La situación no hacía de ellos un grupo muy feliz. Los miembros del instituto que se preocupaban al verlos aburridos les daban pequeñas tareas para entretenerlos, pero ellos no habían venido hasta el Caribe para hacer fotocopias, sacar punta a los lápices y preparar té helado.

Los otros estaban celosos de Dante, pues él tenía al menos algo interesante que hacer. Le habían dado permiso para pasar un par de horas en el cuarto de revelado del instituto, revelando sus fotos submarinas. Las fotos, sin embargo, resultaron ser un fracaso. Eran excelentes tomas de la vida marina, con un bello encuadre y una cuidadosa composición, pero los errores en el proceso de revelado habían tornado los bellos azules del Caribe en un extraño color violeta.

—¿Eso es el arrecife? —preguntó Star dubitativa mientras observaba las fotos—. Parece un paisaje lunar.

—Deberían tener un tono más claro —añadió Dante.

—No, es que deberían ser azules —corrigió Star—. Los arrecifes coralinos son el paisaje más bello que pueda haber en la tierra, pero nadie se lo imaginaría mirando tus fotos. Y no hay que ser un genio para hacer buenas fotos en un arrecife. Lo único que hay que hacer es lograr que el agua se vea azul.

—Mi especialidad son las fotos en blanco y negro —admitió Dante avergonzado—. Todavía estoy aprendiendo a revelar fotos en color.

Todos se sentían frustrados, pero Adriana estaba al borde de la desesperación. Después de pasar tres veranos con su tío en uno de los mejores museos del mundo, esto le parecía un exilio.

Y era un exilio, recordó, y se enojó al pensar que Payton estaría disfrutando con el tío Alfie en Siria.

¿Y todo esto para qué? Para hacerle mandados a un grupo de oceanógrafos chupatintas.

Cuando trabajaba para el Museo Británico, había estudiado ruinas romanas, traducido jeroglíficos y ayudado a hacer una presentación científica en el Palacio de Buckingham. En comparación, este lugar era un chiste, y un chiste de mal gusto.

En algún momento, los trabajitos estúpidos que les asignaban se acabarían, y los cuatro acabarían vagando por el pueblito de Saint-Luc, buscando algo que hacer. Y no era fácil. Como Saint-Luc no era un pueblo turístico, no había allí muchas cosas de interés. Tenía una iglesia pequeña con un campanario, una carnicería con pollos flacos colgando de cabeza en la vidriera y una tienda oscura con vidrieras llenas de caca de moscas en la que se vendían cosas tan extrañas y arbitrarias que Dante la llamaba Vudú "R" Us.

Había dos restaurantes: un bar con parrillada y un café de estilo europeo que parecía sacado de cualquier callejuela de París.

Ellos preferían el restaurante del bar con parrillada porque las hamburguesas eran baratas. A Dante, además, le gustaba sentarse en las mesas exteriores con su cámara submarina para tomarle fotos a la gente del pueblo. Si no pasaba mucha gente, se dedicaba a tomarles fotos a sus tres compañeros.

Kaz, a quien no le gustaba que le tomaran fotos, le hizo un comentario:

—Si me tomas otra foto te voy a romper la nariz.

—Tómame fotos a mí —le dijo Star—. Siempre quise ser morada.

Dante dejó su cámara en la mesa. El aburrimiento y la frustración los estaban poniendo al borde de irse a los puños.

—Hace una semana que estamos aquí —dijo Star dirigiéndose a Adriana—, y tú nunca te has puesto dos veces los mismos zapatos. ¿Cuántos pares trajiste? ¿Cuántos pares de zapatos tienes?

—Los suficientes como para ponerte uno donde no le dé el sol —respondió Adriana enojada.

—Buena respuesta —dijo Kaz.

—No te metas en lo que no te importa, patinador —le advirtió Star—. ¿Qué saben los jugadores de hockey, más allá de enviar a los contrarios al hospital?

No supo por qué, pero su comentario fue como una bofetada para Kaz, que respondió en voz baja y amenazante:

—No te atrevas jamás a repetir eso.

A cada rato el ambiente se caldeaba por cosas así, pero nunca pasaba a mayores. Nadie se peleaba a puñetazos ni salía enojado por la

Rue de la Chapelle. Los cuatro sabían que no tenían ningún lugar a dónde ir.

"Estamos varados aquí —pensó Adriana—, en una esquina perdida del mundo. Y todos estamos en la misma situación".

Y de pronto, la vio ante sus ojos: al otro lado de la estrecha callejuela había una bella casita con las ventanas abiertas para dejar entrar la brisa. Colgada de la ventana más grande había una especie de escultura de madera grande. No estaba segura de qué sería, pero había pasado suficiente tiempo trabajando en el museo para darse cuenta de que era muy vieja. Los años habían embotado las líneas de la talla, sólo le quedaban algunos fragmentos de pintura, y la madera estaba desgastada y desteñida. Había visto muchas esculturas así: espigones de escalera tallados que procedían de antiguas mansiones o catedrales de cientos de años de antigüedad.

Se levantó tan rápidamente que estuvo a punto de hacer caer su silla.

—Muchachos, tienen que ver esto.

Y los demás cruzaron la enlodada callejuela tras ella en dirección a la casita.

—Es un águila —les explicó Adriana al acercarse al espigón.

—¿Qué? —preguntó Star—. ¿Ese bulto colgado de una red es un águila? A mí me parece un pedazo de madera de los que uno encuentra a la orilla del mar.

—Miren, este es el pico y estas son las alas. Y las garras están talladas a relieve —siguió explicando Adriana muy entusiasmada—. Creo que debe tener trescientos años, si no más.

—Está rota —comentó Kaz y señaló una gran rajadura a lo largo del cuerpo del águila—. Parece como si un gigante la hubiera arrancado del extremo de un tótem.

—Los tótems son de América del Norte —le explicó Adriana—. Yo creo que esta escultura es europea.

Star la miró con expresión de disgusto.

—Oye, ya sé que eres una sabelotodo de museo, pero ¿cómo podrías saber algo así?

—Es de roble —exclamó Adriana—. En Saint-Luc no hay robles. Aquí lo que hay son árboles tropicales. La tienen que haber traído en barco. Dante, tómale una foto. Le voy a hacer un escáner en el instituto y se la voy a mandar a mi tío por correo electrónico.

Dante tomó la cámara refunfuñando.

—No hace falta tener un doctorado para saber qué es eso —dijo, y tomó la foto—. Es la cosa más fea que he visto en mi vida.

Mientras Dante decía esto, el ocupante de la

casita se asomó a la ventana. Kaz trató deses-peradamente de taparle la boca al fotógrafo, pero era demasiado tarde. El hombre lo había escuchado perfectamente.

Era el Inglés.

El enorme guía los miró con el ceño fruncido, extendió los brazos y cerró de un golpe las dos hojas de la ventana.

—Escogiste el momento preciso —se burló Star.

—Ah, ¿por qué tenía que ser él? —se lamentó Dante—. ¡Oye!, ¿qué vas a hacer?

Adriana se dirigía muy decidida a la puerta de entrada. Tocó a la puerta y dijo:

—Sr. Inglés, somos nosotros otra vez. Por favor, ¿nos podría contar la historia de esa escultura que tiene en la ventana?

Al principio pareció que el Inglés iba a ignorarlos, pero finalmente abrió la puerta y le dirigió a Adriana una mirada fulminante.

—Ustedes son unos americanos insoporta-bles. Primero atraen a todos los tiburones del océano con su *stupidité*. Después me roban el pulpo. Y ahora vienen a insultarme a mi propia casa. ¡*Vas-t' en!* Váyanse.

Y les cerró la puerta en la cara.

—Yo soy de Canadá —dijo Kaz, pero en voz baja.

Adriana fue a tocar otra vez a la puerta, pero Star le agarró la muñeca.

—Deja eso. ¿A quién le importa lo que él cuelgue en su ventana?

—Mientras no nos cuelgue a nosotros... —dijo Dante pensativo.

Esa noche, mientras cenaban en el instituto, Adriana le preguntó al capitán Vanover sobre el extraño objeto.

El capitán dejó escapar una risita burlona.

—No me extraña que no les respondiera. Creo que todo el asunto ese lo avergüenza.

—¿Y por qué? —preguntó Star.

—Es una vieja leyenda familiar —le explicó Vanover—. Él se la contará cuando quiera... o a lo mejor no se la contará nunca.

—No nos va a decir nada —dijo Dante—. Sobre todo después de lo que dije yo sobre la escultura.

Adriana hizo un gesto de incredulidad.

—Esa escultura debe de tener cientos de años de antigüedad, y él la tiene colgada en la ventana como si nada. Ojalá la haya asegurado.

El capitán se echó a reír.

—Esa sí es buena: robarle al Inglés —dijo en el mismo momento en que vio que Tad Cutter pasaba muy cerca de su mesa—. ¡Eh, Tad! Ven acá.

El hombre rubio y de ojos azules puso su bandeja en la mesa.

—Hola, Braden... muchachos...

—Ya llevas una semana rastreando el fondo del mar con el sónar —le dijo el capitán amablemente—. ¿Por qué no mandas a los muchachos a que lo limpien cuando vayan a bucear contigo mañana?

Cutter no mostró sorpresa alguna ante la pregunta.

—Sí, ya debe de estar cubierto de sal. Gracias, muchachos, nos vemos por la mañana —dijo, y se alejó para reunirse con los de su tripulación.

—Nos va a dejar en tierra —predijo Star resentida—. Todas las noches dice lo mismo, pero no nos ha llevado en el barco ni una sola vez.

CAPÍTULO SEIS

El *Ponce de León* tenía cuatro diminutos camarotes bajo cubierta para la tripulación. Poco después de media noche, los cuatro muchachos se colaron cada uno en un camarote para esperar el amanecer y a Tad Cutter.

Dante extendió su saco de dormir sobre la dura litera y se acostó a dormir... si es que aquello era dormir. Las olas que golpeaban contra el casco, aunque no muy fuertes, parecían resonar por todo el barco con insoportable claridad. Cada vez que lograba adormecerse, su cabeza golpeaba contra la pared por el movimiento del barco sobre el agua.

El agua azul, recordó Dante. "Piensa en colores".

Era más fácil decirlo que hacerlo. Su "problemita"...

Los titulares de los recortes de periódico que su madre guardaba en el álbum aparecieron como un collage en su mente: *Jovencito de 13 años gana concurso fotográfico para adultos; El prodigio de la lente; Ansel Adams: se acabó tu reinado...* El crítico de *The New York Times* había escrito que su uso de la luz y la sombra parecía el de un artista que tuviese cuatro veces su edad.

Y eso tendría que haberles bastado, ¿no?

Pero la siguiente oración era siempre la misma: ¿Se pueden imaginar lo que sería capaz de hacer con el color?

Bueno, esa preocupación había terminado. Ya sabía exactamente lo que era capaz de hacer con el color. Lo iba a asesinar. Convertiría el azul del mar en morado.

Por eso había hecho todo lo posible por aprender a bucear... algo que nunca le había interesado. Un arrecife de corales era el lugar más colorido en un mundo lleno de colores. Si la rica gama de tonalidades del arrecife no saltaba y se metía en sus fotos en este lugar, no habría entonces manera alguna de lograrlo. Y los arrecifes coralinos no se hallaban a la vuelta de cualquier esquina. Había que ir hasta ellos... es decir, bajo el agua.

"Deja de quejarte ya. Estás aquí. Estás buceando. Aún no te has ahogado..."

Pero ¿volverían a bucear alguna vez? ¿Quién sabe cómo iba a reaccionar Cutter cuando los encontrara a los cuatro esperando en el *Ponce de León*?

Finalmente, el sueño lo venció, pero era un

sueño inquieto, lleno de pesadillas sobre todo lo malo que podía pasar en una expedición submarina.

"Descender demasiado rápido sin equilibrar la presión... reventarse un tímpano... un dolor insoportable..."

Recordó entonces la litera demasiado estrecha. Increíblemente, ese era uno de los riesgos menos peligrosos del buceo.

"Envenenamiento con nitrógeno... el éxtasis de la profundidad... el nitrógeno disuelto que causa un estado parecido a una borrachera..."

Dante nunca había estado borracho, pero estaba seguro de que treinta metros debajo de las olas no era lugar para emborracharse. Había escuchado las horribles historias de buzos "borrachos" que perdían el sentido de la dirección y no sabían dónde estaba la superficie, de modo que se ahogaban cuando se les acababa el oxígeno. Pero esa no era la peor pesadilla del submarinismo.

"Las burbujas de aire en el torrente sanguíneo... diminutas bombas de tiempo dentro del cuerpo... lo único que se puede hacer es esperar a ver si te quedas inválido para siempre o incluso..."

—¡Muerto!

Se sentó de un salto en la litera. El *Ponce de*

León se estaba moviendo. Escuchaba y sentía el rugir del motor.

Abrió sus ojos legañosos y se halló ante la mujer más hermosa que había visto en su vida: alta y bronceada, con unos cabellos largos y... ¿trigueños?

Ella parecía tan sorprendida como él de haberlo encontrado allí, pero enseguida sonrió.

—Mira, Chris —dijo hablando en dirección a la escotilla—. Polizontes.

Un hombre con barba apareció a su lado, cargando unos equipos en los brazos. Miró a Dante con resignación.

—Los muchachos.

—Vinimos todos —logró decir Dante, tratando de no mirar a la bella mujer—. Tad dijo que ustedes querían que los... ayudáramos.

Ella sonrió otra vez, era como las sonrisas de las portadas de revistas.

—Me llamo Marina Kappas, trabajo en Poseidón, San Diego. El amargado este es Chris Reardon —dijo extendiendo su mano—. Hoy nos viene muy bien una ayuda.

Dante salió de su saco de dormir y le estrechó la mano. Sintió un corrientazo al tocarla.

—Dante, Dante Lewis.

—¡El fotógrafo! —dijo ella con una sonrisa—. Me encantaría ver algunas de tus fotos.

Reardon parecía sorprendido por este intercambio tan amigable.

—Marina, ¿puedo hablar contigo un momento?

—Ahora mismo no.

—Pero...

Una pasajera expresión de molestia cubrió su rostro perfecto.

—Te dije que ahora no. ¿Por qué no vas y le das a Tad la buena noticia?

Dante se dispuso a despertar a sus compañeros para informarles que habían sido descubiertos.

—¿Llegó Cutter hasta tu litera y te descubrió allí? —le preguntó Kaz mientras salía apresuradamente de la cama.

—No Cutter, Marina —dijo—. Deja que la veas.

—¿Estaba muy enojada? —preguntó Adriana.

—En realidad parecía contenta de verme —dijo él en serio—, pero a su amigo no le gustó nada verme.

Ya en cubierta, se presentaron ante Bill Hamilton, el capitán del *Ponce de León*. Cutter estaba medio enterrado en el motor de un compresor de flotación Brownie, ajustando algo con una llave.

Cuando los vio, el jefe del equipo lanzó un gruñido.

—Muy bien. Ya se despertaron. Hoy van a estar mucho tiempo buceando, demasiado tiempo en realidad para ir con los tanques de oxígeno, pero este compresor les permitirá estar allá abajo por horas.

La desconfianza de los muchachos dio paso a la confusión. Cutter había reaccionado no sólo como si su presencia allí estuviera prevista, sino como si fuera de vital importancia. Como si él no los hubiera estado evitando por casi una semana. Kaz fue el primero en hablar.

—¿Demora tanto limpiar el equipo de sónar?

—No, yo ya revisé eso. Todo está bien —les aseguró Cutter—. Los necesitamos para algo mucho más importante. Hay un montón de cavernas ahí en el fondo que el sónar no puede rastrear. Lo que necesitamos es que ustedes las ubiquen.

—¿Y que las exploremos? —preguntó Star entusiasmada.

Cutter negó con la cabeza.

—Es demasiado peligroso. Lo único que harán es identificar la entrada de cada caverna con boyas. Cada una tiene un flotador que subirá hasta la superficie. Entonces nosotros marcaremos su ubicación aquí arriba en cubierta. ¿Está bien?

Los cuatro muchachos comenzaron a ponerse sus trajes de submarinismo con mucho entusiasmo.

—Quizás juzgamos mal a Cutter y su gente —dijo Adriana mientras se ponía el fino traje de buzo que se ajustaba por todo su cuerpo hasta las muñecas—. Parece que finalmente nos van a dejar trabajar este verano.

Star parecía escéptica.

—He visto muchos mapas de arrecifes. Las cavernas no suelen estar indicadas en esos mapas.

—Pues en este si aparecerán —dijo Dante, desconectando el regulador de su tanque de oxígeno. En esta inmersión respirarían el aire directamente del compresor Brownie a través de unas mangueras largas y flexibles—. Recuerden, Poseidón es el mejor instituto en su especialidad. Todo se hace a la perfección.

Al ver a Star cojeando mientras se ponía el traje de buzo, Marina se acercó apresuradamente para sostenerla. Star se alejó.

—¿Qué quieres?

Su enojo era tan genuino, tan profundo, que la investigadora se quedó paralizada por un momento sin saber qué hacer.

—Déjala tranquila, Star... —comenzó a decir Dante.

—¿Crees que es la primera vez que voy a bucear? —insistió Star.

Finalmente, Marina recuperó la voz.

—Vi que tropezaste, le pasa a todo el mundo cuando el barco se mece sobre las olas... incluso a los buzos más experimentados.

—No ayudarás a Star —dijo Kaz en tono conciliatorio—. Ese es como el undécimo mandamiento en este sitio.

La esbelta muchacha le clavó la vista mientras Marina regresaba a ayudar a Cutter con el compresor.

—Te derrites por ella. Y tú también, Dante.

—Bueno, ¿y qué? —respondió Dante—. Tú eres nuestra compañera de buceo, no nuestra madre. ¿Qué quieres tú?

El enojo de Star no aminoró hasta que se sumergió bajo la superficie del mar. Era imposible estar enojado allá abajo, en medio de las aguas cristalinas, nadando entre bancos de damiselas que se movían en apretada formación como una nube anaranjada.

Por supuesto, ella era muy sensible cuando se trataba de su discapacidad física, pero no podía culpar a Marina Kappas por ser bella... ni a Dante o a Kaz por darse cuenta de ello.

Debajo del agua, Star Ling no tenía ninguna discapacidad. Este era su medio, el mundo para el que su cuerpo había sido diseñado. Agitó lentamente sus patas de rana para sumergirse. Si en ese instante, de repente, despertara con amnesia, no notaría ninguna debilidad en el lado izquierdo de su cuerpo. Y eso era precisamente lo que más le gustaba.

En ese lugar los arrecifes eran poco profundos —sus partes más profundas estaban a sólo trece metros de la superficie— y más llanos que el sitio de buceo que habían visitado con Vanover y el Inglés, pero por todas partes desbordaba la vida y los colores. El arrecife estaba adornado de esponjas rojas como tomates, altísimos abanicos de mar y estrellas de mar del tamaño de alfombras. Desde la superficie bajaban peces que parecían serpientes, criaturas multicolores que parecían salidas de un libro del Dr. Seuss dispuestas a devorar pólipos. Un tetra curioso se acercó a la cuerda de seguridad que llevaba atada al cinturón. Ella lo espantó con una nube de burbujas.

—¡Bu!

El sonido se propagaba tan bien en el agua que pudo reconocer la voz de Dante. Vio al joven fotógrafo no muy lejos de allí, flotando en las aguas y haciéndoles señas con la mano. Al acercarse a él, descubrió la causa de su entusiasmo: un hueco negro del tamaño de una inmensa sandía se abría en el lecho marino.

"¿Y considera él eso una caverna?"

Sacó la pizarra de su chaleco y escribió: "MUY PEQUEÑO". Pero Dante negó con la cabeza y comenzó a sacar una de las boyas que llevaba a la cintura. Se le cayó uno de los cartuchos y este cayó lentamente, posándose en la boca de la abertura.

Dante extendió el brazo para recogerlo. Le había llegado el turno de gritar a Star.

—¡No!

CAPÍTULO SIETE

En el momento en que el guante de Dante se cerraba sobre el cartucho, la grotesca cabeza de una morena salió del hoyo como una explosión, abriendo una inmensa boca llena de agujas de tres centímetros. Asustado, el muchacho retiró su mano mientras las fauces mordían el metal de la boya, enviando dientes quebrados por todas partes.

En medio del pánico, Dante dejó caer el cartucho y se llevó la mano a la válvula de su chaleco. Star lo agarró antes de que lograra inflar el chaleco y saliera disparado hacia la superficie.

Se acercó a su careta para decirle con sus expresivos ojos negros: "Cálmate. No pasó nada. Estás bien".

Dante hizo un gesto afirmativo y tomó una bocanada de oxígeno. "Dante es un pésimo buzo —reflexionó Star—, pero a veces la suerte es más importante que la destreza. La morena pudo haberle arrancado parte de la mano".

No lejos de allí, Kaz y Adriana estaban marcando la entrada de una caverna con otra de las boyas, y su flotador salió rápidamente hacia la superficie.

"Una identificada, nos faltan quinientas más", pensó Star. Todavía no lograba entender por qué Cutter tenía que hacer esto. Identificar en un mapa cada caverna de un arrecife tan grande como los Bancos Escondidos llevaría años, no un par de meses. No tenía sentido.

Estaba disfrutando la oportunidad de bucear sin el pesado tanque de oxígeno a su espalda. Le daba un sentimiento de libertad, a pesar de estar conectada al compresor con su manguera de oxígeno y su cuerda de seguridad. Nadar con los peces, imaginando ser uno de ellos... era un acto bastante infantil, pero Star no se cansaba de hacerlo.

Nadó con un banco de macarelas hasta que una gran tortuga las hizo huir. El pétreo caparazón de la tortuga le pareció antiquísimo cuando lo tocó con su mano enguantada: un pedazo de prehistoria en el siglo veintiuno.

Vio a Kaz inclinado sobre otra caverna, desprendiendo otra boya de su cinturón. "Él tampoco sabe mucho de buceo —pensó la muchacha—, pero se mueve con agilidad, incluso con gracia: es algo que sólo tienen los atletas naturales".

Mientras Star lo observaba trabajar, una gran

barracuda se acercó al muchacho por detrás.

"¿Le aviso?"

Recordó el incidente con el tiburón. Kaz se asustaba con cualquier cosa y podría cometer alguna estupidez. Además, las barracudas jamás atacan a propósito a los seres humanos.

Pero el pez, que tenía más de tres metros de largo, era muy curioso. Star se mordió la lengua al ver que la mandíbula inferior se acercaba a la espalda de Kaz y que sus dientes brillantes estaban a pocos centímetros de su cuello.

De pronto, Kaz se dio vuelta y quedó frente a las mandíbulas del famoso depredador. Asustado, disparó el flotador de la boya. El sonido asustó a la barracuda, que se dio media vuelta y se alejó. Star se echó a reír, enviando nubes de burbujas a la superficie.

Adriana estaba cerca, paralela al fondo, tratando de espantar un agresivo pez ballesta. Se movía en el agua con más naturalidad que Kaz: era una turista más que una novata. Era obvio que la muchacha había hecho submarinismo en el pasado durante sus vacaciones de niña rica.

Eso le molestaba. No que Adriana fuera rica, sino que los de Poseidón la hubiesen puesto con un grupo de principiantes.

"Pero bueno, ¿cómo podían saber ellos que yo sabía bucear? Ellos sabían lo de mi parálisis cerebral..."

Era como si los de Poseidón hubieran buscado malos buzos a propósito.

—¡Mira! —gritó una voz.

Era Dante otra vez. El muchacho no paraba de gritar bajo el agua, iba a tragar tanta sal que le daría hipertensión arterial.

Estaba señalando algo mientras la llamaba con la mano, probablemente se trataba de otra cueva de conejos que él consideraba una caverna. Pero cuando se acercó, vio que él señalaba hacia una zona en que el arrecife se hundía a mayor profundidad bajo el agua.

Entrecerró los ojos tratando de divisar el objeto que tanto le interesaba a Dante. La luz, y por lo tanto la visibilidad, disminuía con la profundidad. Ella se encogió de hombros, exagerando el gesto. Como se tienen que comunicar sin palabras, los buzos muchas veces hacen gestos exagerados como los de los actores que están en un escenario.

Dante desinfló su chaleco y descendió hacia la penumbra. Star lo siguió. Un tirón de su cinturón le hizo saber que la cuerda de seguridad se había tensado y que ahora estaban jalando el compresor al avanzar. Miró por encima del hombro y vio que los demás también lo habían notado. Kaz y Adriana venían tras ellos.

"¿Qué cree haber visto Dante?" Bajo el agua también se producían espejismos. Sus ojos desfigurados por el cristal de aumento le daban la apariencia de un demente. Era fácil creer que estaba teniendo alucinaciones.

Y entonces ella también lo vio.

En medio del más natural de los entornos, era inquietante ver algo tan artificial, tan evidentemente fabricado por el hombre. Un avión hundido descansaba sobre la arena con el fuselaje parcialmente incrustado en el coral y las plantas marinas. Un ala se había quebrado al caer. Yacía a poca distancia, cubierta de algas.

El corazón de Star comenzó a latir tan aceleradamente que le parecía que iba a romper su chaleco. Este era el mayor tesoro que un buzo podía hallar. ¡Un naufragio! Había leído sobre experiencias como esta en las revistas de submarinismo, pero la emoción del hecho real excedía cualquier cosa que ella pudiera haber imaginado.

Se acercó lenta, respetuosamente, como temiendo que el avión se desvaneciera en el momento en que iba a tocarlo. Nunca se había imaginado que algo así pudiera sucederle, y mucho menos buceando con un grupo de novatos. Los otros se quedaron atrás, observándola con incertidumbre.

Cuando vio la insignia en el flanco del avión se le escapó un suspiro: una burbuja de aire más grande en medio de las otras. La insignia estaba parcialmente tapada por las anémonas, pero era inconfundible. Era una esvástica. Era un avión de guerra alemán de la Segunda Guerra Mundial.

Nadó sobre la nave para ver la cabina de mando, preguntándose si veía un esqueleto sentado ante los controles, pero no, el gran bombardero estaba desierto.

El parabrisas estaba roto, lo que ofrecía una angosta entrada al avión hundido.

Dudó un momento. Las naves hundidas podían ser peligrosas.

"¡Pero esta era la oportunidad de su vida!"

Entró en el avión y pasó entre el asiento del piloto y el del copiloto, adentrándose en la nave. Había muy poco espacio. Era difícil imaginar que toda una tripulación de hombres adultos hubiera volado en esta caja de habanos. Cuando avanzó unos pasos por el fuselaje, la oscuridad se hizo casi absoluta. La única luz provenía de dos torretas de cristal blindado. Por cada una de ellas se asomaba una ametralladora giratoria, ahora inofensivas y cubiertas por una capa de coral. Era un tétrico recordatorio de que aquel silencioso casco de metal había sido alguna vez un instrumento de guerra, un sistema inventado para matar.

Siguió hacia la cola del bombardero. Allí la oscuridad era absoluta y las paredes se cerraban hasta convertirse en el más angosto de los túneles.

Cuando se dio vuelta para regresar, su pata de rana chocó con el bajo techo y se le salió del pie. Logró atraparla entre sus piernas antes de que cayera. Ponérsela en aquel espacio tan reducido era una tarea difícil, y se sorprendió al sentirse exhausta al hacerlo. Sus burbujas, atrapadas bajo el techo de la nave, se unieron para formar una pequeña bolsa de aire.

"Será mejor que salga de aquí".

Pero no sin llevarse un recuerdo... una prueba de que había estado allí. "Artefactos", los llamaban los buzos que se dedicaban a buscar barcos hundidos. Los platos y los cubiertos de los barcos hundidos eran especialmente valiosos. ¿Pero qué se podía llevar de un avión? No podía sacar de allí una hélice de ciento cincuenta kilos.

Una vez más, sus ojos se detuvieron sobre la ametralladora. Una cinta de balas colgaba del arma, flotando suavemente en la corriente.

Más que nadar, se arrastró hasta la ametralladora apoyándose en los agarres del suelo de la cabina. Sacar las balas fue más fácil de lo que esperaba... la vieja cinta se deshizo al tocarla, y las balas cayeron en su guante. La emoción de tocarlas era casi palpable.

"La Segunda Guerra Mundial en la palma de tu mano —pensó—. Eh..."

Al manipular la ametralladora había movido la capa de lodo que cubría el avión. Una tormenta de diminutas partículas de color marrón llenó la torreta. Las balas resbalaron entre sus dedos y desaparecieron.

El instinto le ordenó tratar de recuperar su botín. Cualquier buzo habría hecho lo mismo. Se agachó en medio de la nube de lodo como si fuera a recoger manzanas. Fue entonces cuando lo sintió: no estaba corriendo aire por el regulador que tenía entre los dientes.

Se había quedado sin aire.

CAPÍTULO OCHO

"¡No! —pensó Star desesperadamente—. ¡Imposible! No me llega el aire del tanque".

La verdad se le hizo evidente con un golpe de terror. La manguera se había enredado. Quizás se había trabado en algo... una agarradera o un picaporte. ¿Pero dónde? Una mirada desesperada en dirección a la cabina sólo reveló una oscuridad absoluta.

Tiró suave, pero insistentemente de la manguera, esperando destrabarla, pero el gas vital no volvía a salir. "¡Vamos!", se dijo. Tiró más fuerte, sabiendo que no era una buena idea, que podía dañar aun más el sistema de suministro de aire.

Star Ling era una submarinista tan segura de sí misma que el pánico era una sensación totalmente extraña para ella. Su primer impulso fue escupir el regulador y tratar de salir a la superficie, pero cuando trató de salir de la torreta, la cuerda de seguridad se lo impidió. Estaba atrapada en un ataúd metálico en el fondo del mar.

Sacó su rodilla y comenzó a agitar las pier-

INMERSIÓN

nas desesperadamente, pero no podía ver nada en medio de la nube de lodo.

El destello de la navaja de acero en la torreta le indicó a Kaz que había algún problema. Cuando Star lo vio nadar hacia ella, supo que el muchacho era su única esperanza. Hizo un gesto desesperado con los dedos a la altura de la garganta: la señal de los buzos para indicar que no tenían aire.

Le pareció que a Kaz le tomaba una eternidad llegar hasta ella. "El agua es como un espejo de aumento —pensó—. Él parece estar más cerca de lo que en realidad está".

Esa idea no le sirvió de consuelo. Estaba a punto de perder el conocimiento, su visión lateral se estaba oscureciendo. Trató de mantenerse alerta. ¿Sabría aquel jugador de hockey lo que debía hacer cuando llegara hasta ella?

"¡Está braceando, Dios mío! Un error de principiante".

Y entonces llegó. Vio el reflejo de su cara en la careta del muchacho y se dio cuenta de lo mal que estaba. Su cara estaba de color ceniza, sus ojos tenían una expresión de horror. No aguantaría mucho más. La negritud se estaba apoderando de ella.

Kaz respiró profundamente en su regulador,

lo sacó y lo metió a la fuerza entre los labios ya azulados de Star. La deliciosa bocanada de oxígeno la sacó de su letargo. Respiró profundamente, tratando de evitar la hiperventilación.

Kaz se arrastró por la abertura que había en la torreta y buscó el suelo del avión. Dio unos manotazos al agua tratando de dispersar la cortina de lodo. Cuando revisó el regulador de Star, se dio cuenta inmediatamente del problema. La manguera se había enredado en la palanca de mando del bombardero, tan fuertemente que se había cortado el flujo de aire. El problema se había complicado más porque la cuerda de seguridad de Star se había enredado en la manguera y también en un gancho que había sobre la escotilla de emergencia. Kaz cortó la cuerda con su cuchillo, desenredó la manguera y respiró finalmente a través del regulador.

Star lo observaba asombrada. El muchacho sería un buzo mediocre, pero en este momento de crisis su reacción había sido rápida y decidida. "Será el entrenamiento de hockey", pensó ella sin mucho entusiasmo. Le costaba admitirlo, pero Bobby Kaczinski probablemente acababa de salvarle la vida.

Star podía sentir cómo le temblaba el cuerpo a pesar de la calidez del agua. El accidente la había asustado... pero no tanto que se le olvidara agarrar otro puñado de balas en el momento en que salían del avión.

Salieron a la superficie muy cerca del compresor Brownie y se agarraron de él, flotando sobre las olas.

Dante comenzó a gritar tan pronto escupió su regulador.

—¿Estás bien?

—No le cuentes a nadie lo sucedido —le ordenó Star—. Ni a Cutter... ni a nadie.

—¿Y qué fue lo que sucedió? —preguntó Adriana—. Me pareció que te habías quedado atrapada en el avión.

—Si ellos piensan que no sabemos bucear bien, no nos dejarán volver a hacerlo —insistió Star—. ¡Prométemelo!

Kaz estaba petrificado.

—¿Es todo lo que se te ocurre decir? Podrías estar muerta ahora mismo.

—Me metí en un problema y mi compañero me ayudó a salir de él —insistió Star—. Y eso es lo que se supone que hagamos los unos por los otros.

—Esta es sólo la cuarta vez que buceo —protestó Kaz—. La segunda vez en el mar. ¿Qué habría pasado si no hubiera sabido qué hacer? Eso no lo enseñan en las clases de buceo,

Star. ¿Qué habría pasado si no hubiera reaccionado a tiempo? Habría tenido que vivir toda la vida con eso.

La imagen de Drew Christiansen, yaciendo inmóvil en el hielo, surgió en su cerebro. ¿Cuánta culpa cabía en una sola conciencia?

—¿No se dan cuenta de lo que acabamos de ver? —gritó Star—. La gente bucea toda la vida y nunca se encuentra un naufragio —dijo volviéndose a Dante—. Tienes ojos de águila. A lo mejor todos estamos locos y el agua es en realidad morada.

—Fue sólo... —se detuvo sin saber qué decir— un golpe de suerte.

—¡Un avión alemán! —exclamó Adriana—. Quizás era uno de los que hizo los famosos bombardeos de Curazao. Va a ser un gran hallazgo para los historiadores.

—Es un gran hallazgo para nosotros —la corrigió Star con dureza mientras abría la cremallera de su bolsa y sacaba un puñado de balas—. Y tenemos artefactos para probarlo. Estoy ansiosa por restregárselo en la cara a Cutter. Veremos si ahora nos trata como a una banda de renacuajos.

Como el *Ponce de León* estaba peinando el arrecife con el sónar a rastras, los cuatro muchachos tuvieron que esperar sobre el Brownie a que el barco volviera a pasar por allí. Dante lo vio casi inmediatamente, un diminuto resplandor en el horizonte. Veinte minutos después, el barco estaba junto a ellos.

Kaz vio primero a Chris Reardon, medio dormido en la proa y con una vara de pescar en la mano, tratando de sacar algún bonito sobre la borda.

—¡Eh, Chris! —le gritó.

Reardon dejó escapar un resonante eructo, pero no dio ninguna otra indicación de haberlo escuchado.

—Saca esa vara del agua —le ordenó una voz autoritaria—. Vas a enganchar a uno de los muchachos.

Marina iba apresuradamente hacia el trampolín de buceo para ayudarlos a subir. Hizo un gesto de disgusto al ver sólo dos boyas flotando sobre el agua.

—Yo sé que por aquí hay más que dos cavernas.

—Dante halló los restos de una nave —dijo Star.

Los ojos de la investigadora brillaron de repente.

—¿Los restos de una nave?

—Un avión de la Segunda Guerra Mundial —explicó Adriana.

—¡Mira! —dijo Star, poniendo ante los ojos

de Marina un puñado de balas cubiertas de corales.

Marina las observó por un momento y sus rasgos de modelo se relajaron inmediatamente.

—Star, eso no es...

Pero ya Star iba cojeando hacia la escalerilla principal gritando.

—¡Tad!

Los otros la siguieron con sus trajes de buzo que chorreaban agua. Tad Cutter estaba sentado a la mesa plegable de la cocina leyendo la información de una cinta continua de papel de computadora.

—¡Hay un avión allá abajo! —le dijo Star emocionada—. Un bombardero alemán —dijo, y lanzó las balas de ametralladora sobre la computadora.

Cutter miró primero las balas y después los serios rostros de los muchachos y se echó a reír. Sus carcajadas llenaron el salón.

—¡Oigan! —dijo Star insultada—. Ustedes pensarán que nosotros somos una banda de malcriados a los que es mejor ignorar, pero nosotros sabemos lo que es un avión.

—No —dijo Cutter tratando de hablar en medio de su risa—. Tienen razón, allá abajo hay un avión, pero no es de la Segunda Guerra Mundial.

—Sí lo es —insistió Adriana—. Es un bombardero Messerschmidt de hélice con una esvástica y una cruz alemana. Los nazis los usaron en el Caribe para atacar las plantas de extracción de petróleo de los aliados.

—Y de eso precisamente trataba la película, de un bombardero alemán que cae al mar —les informó Cutter—. Los del estudio de cine construyeron una réplica exacta de un Messerschmidt, lo trajeron hasta aquí y lo hundieron en el arrecife. Y eso es lo que ustedes encontraron... una escenografía de Hollywood.

La cara de Star expresó la diferencia que había entre descubrir los restos de un naufragio y hallar una falsificación submarina. Los otros parecían también decepcionados. Un minuto antes creían haberse ganado el respeto de Cutter y la tripulación. Ahora volvían a ser unos Don Nadies. El hombre rubio agarró una de las balas.

—El coral que tiene no es ni de lejos suficiente para haber estado ahí desde la Segunda Guerra Mundial. Tras sesenta años, todo el casquillo estaría cubierto. Esto parece haber estado ahí unos tres años... que es el tiempo que hace que filmaron la película.

Marina apareció en la escalerilla.

—No se desanimen. No son los primeros buzos que encuentran ese avión y creen haber descubierto algo importante. Y no serán los últimos —dijo con una sonrisa—. Allá abajo hay un montón de cavernas. Necesitamos que se vuelvan a meter tan pronto como puedan. Usen el oxígeno para recuperarse. Está allá, en los tanques con letras verdes.

Como el cuerpo absorbe parte del nitrógeno del aire comprimido cuando está bajo el mar, es importante expulsar el nitrógeno antes de volver a bucear el mismo día. Respirar oxígeno puro acelera ese proceso.

En la cubierta, Dante sacó un pesado tanque del estante con mucho trabajo. Kaz le lanzó una mirada recriminatoria.

—Ella dijo que eran los de las letras verdes.

—¿Sí?

—Esas son rojas.

—Ah, verdad.

Avergonzado, Dante trató de levantar el cilindro y se le cayó. Con un gesto relampagueante, Kaz logró sacar su pie antes de que el pesado tanque de metal golpeara la cubierta.

—Perdón —dijo Dante.

Esa palabra se estaba volviendo muy útil para él. "Perdón por casi desbaratarte el dedo del pie; perdón por darte un tanque de Dios–sabrá–qué que podría haberte envenenado;

perdón por descubrir el avión en que por poco muere Star". No había duda alguna. Lo estaba haciendo fatal. Y no era sólo el buceo. Todo lo que hacía le salía mal.

Kaz sacó cuatro de los tanques de oxígeno y los muchachos se los repartieron. Se puso la careta de plástico transparente sobre la boca y la nariz y abrió la válvula.

—No es tan malo, ¿verdad? —preguntó con voz apagada por la careta—. Bueno, parecemos cuatro idiotas, pero aún quieren que busquemos las cavernas. Por lo menos no perdimos el trabajo.

—Todavía creo que hay algo raro en el asunto —dijo Star—. Pusimos dos boyas en el agua y no creo que ninguno de ellos haya anotado su posición.

Como respuesta, escucharon un ruidoso ronquido que venía de la proa, donde Reardon continuaba la búsqueda del bonito premiado. Adriana se puso la careta y se la quitó enseguida, relamiéndose los labios.

—Lo único que no encaja es que se supone que ellos están haciendo un rastreo con sónar para hacer el mapa del arrecife, ¿verdad? Pero la información que Cutter estaba leyendo no era de sónar.

Kaz preguntó enseguida.

—¿No era de sónar?

—Un verano, el Museo Británico envió a un equipo a buscar antiguos artefactos romanos en el río Támesis: escudos, cascos, armaduras. Usaban un magnetómetro de barrido lateral para detectar objetos metálicos en el agua. Pues bien, la información de ese equipo de detección era exactamente igual a la que estaba en la mesa de Cutter.

Star chasqueó los dedos.

—Están buscando algo en el mar, algo metálico.

Dante se sentía confundido.

—Y entonces, ¿para qué quieren que ubiquemos las cavernas?

De pronto, una amplia sonrisa se dibujó en el rostro de la muchacha.

—Es la tarea de la campana.

—¿La tarea de la campana? —dijo Adriana.

—Cuando estaba en quinto grado —explicó Star—; mi maestra siempre nos ponía unos problemas de matemáticas en el pizarrón para cuando entráramos al sonar la campana. No eran cosas que necesitábamos saber, no iban a salir en ningún examen ni nada por el estilo. Era sólo para mantenernos ocupados mientras ella terminaba de tomarse su café en el salón de los profesores. De eso se trata esta búsqueda de cavernas, nos están manteniendo ocupados mientras ellos buscan algo.

Los cuatro muchachos intercambiaron miradas solemnes. ¿Sería cierto? Sabían que Cutter y su gente tenían muy poco respeto por ellos, pero ¿estarían manipulándolos de aquella manera? Kaz rompió el incómodo silencio.

—Bueno, digamos que ustedes dos están en lo cierto. Nos están manipulando, manteniéndonos ocupados con algo que no tiene utilidad alguna, mientras ellos rastrean los Bancos Escondidos buscando metal. Eso no responde la pregunta principal: ¿Por qué todo ese secreto? Ellos son científicos de un instituto de renombre, ¿por qué no pueden decir lo que andan buscando?

Con un gesto, Adriana se quitó el pelo mojado de la cara.

—A mí me parece —dijo muy despacio—, que deben de estar trabajando en algo muy especial.

Dante arqueó la ceja.

—¿Un contrato del gobierno? ¿Quizás una misión secreta?

—Quizás —dijo ella—, pero sea lo que sea, lo cierto es que ahora nosotros estamos metidos en el asunto.

3 de julio de 1665

*Al principio, Samuel culpaba al puerto de Liver-
pool por el hedor que se sentía en el* Griffin, *pero
cuanto más lejos navegaba, sobre aguas tranquilas o
borrascosas, el insoportable hedor seguía con ellos.
Peor aun, parecía cobrar intensidad. Era una mezcla
de sentina, el fuego de la cocina, comida medio des-
compuesta y los olores de las cabras, los cerdos y los
pollos que se criaban a bordo para mantener un suministro de leche, carne y huevos frescos para el
capitán y la tripulación.*

*Sin embargo, la peor parte era el mal olor de la
gente: ochenta y dos hombres sin bañarse en un largo
viaje bajo un sol abrasador. El repugnante olor de los
vómitos que producían los mareos nunca lograba
eliminarse. Y como el barco había sido zarandeado
por maléficas olas, hasta los marineros más curtidos a
veces vomitaban. Ni siquiera el capitán Blade estaba
a salvo. En medio de una tormenta, Samuel lo encontró doblado en el piso de su camarote vomitando en su
bacinilla. El capitán se puso de pie de un salto, mirando a Samuel con unos ojos que parecían tizones.*

—*Jamás le hables a nadie de lo que has visto, muchacho, o te voy a azotar.*

No era una amenaza. Casi todos los días azotaban a alguien en la cubierta del Griffin. *El capitán Blade insistía en dar los azotes él mismo con su látigo de mango de hueso.*

—*Ah, qué bueno es estirar mis viejos músculos —decía sonriendo mientras su víctima gemía en un charco de su propia sangre y con la espalda llena de rayas rojas—. Un hombre siempre necesita hacer un poco de actividad física.*

Uno de los que recibía habitualmente ese estilo de "actividad física" del capitán Blade era el viejo Evans, que se dedicaba a hacer velas. Los fuertes vientos del Atlántico soplaban incesantemente y hacían trizas las numerosas velas del barco. Aunque el hombre de pelo blanco trabajaba día y noche cosiendo hasta que ya no veía sus agarrotados dedos, no podía arreglar las velas a la misma velocidad con la que las destrozaba el viento.

—*Distinguido, te voy a colgar si no veo la mesana en su lugar antes de que el muchacho me traiga la cena —gritaba el capitán.*

"Distinguido" era el peor insulto en el barco. Un marinero distinguido era un marinero de agua dulce. En el caso de Evans era cierto, él no era marinero. Toda su vida había sido campesino. El dueño de las tierras lo había expulsado de los campos de papas

que le proporcionaban su magro sustento. Evans ya estaba demasiado débil para trabajar la tierra y no tenía hijos que lo ayudaran. Echarse a la mar era su único medio de mantener a su esposa y sus hijas.

A pesar de la diferencia de edad, Samuel sentía un lazo afectivo entre él y el viejo. Ninguno de los dos era marinero y ambos habían sido forzados por la pobreza a enrolarse en el Griffin y tratar con el despiadado capitán. El muchacho pasaba la mayor parte de su tiempo libre en la cabina del hacedor de velas, cosiendo lonas hasta que le sangraban las manos, ayudando con sus ojos jóvenes cuando los apagados ojos del viejo ya no veían.

Aunque Evans apreciaba su ayuda, al principio debió de sospechar que Samuel era un espía del capitán. El viejo siempre estaba diciendo cosas como: "El capitán James Blade es un caballero muy justo. Somos muy dichosos de tener un capitán excelente en el Griffin".

Incluso después de las brutales flagelaciones, él no tenía más que elogios para el causante de sus sufrimientos. Mientras Samuel echaba agua de mar sobre la espalda del viejo lacerada por los latigazos, Evans decía: "Es un gran capitán que se preocupa por su tripulación".

Samuel no decía nada. Nunca había conocido a su verdadero padre y estaba ansioso porque llegara el momento en que Evans le confiara sus verdaderas opiniones.

Una noche, ya muy tarde, mientras los dos se esforzaban en zurcir una vela de trinquete tan llena de remiendos que parecía la manta de un pordiosero, llegó el momento. A la débil luz de la lámpara de aceite, Evans dijo con tono neutro:

—Es un loco ese capitán que tenemos. Lo odio, sí que lo odio.

—¡Shhh! —dijo Samuel mirando nervioso sobre su hombro—. Yo también lo odio. Cada vez que toco su asquerosa bacinilla quisiera tirársela a la cara.

—Y ese látigo... ¡lo veo hasta en mis sueños! —dijo y de pronto los ojos húmedos del viejo parecieron estar en otra parte—. En mi sueño, el látigo está enredado en la garganta blanca de Blade. Y yo lo aprieto cada vez más. Él grita, pero yo no dejo de apretar y apretar el látigo...

—¡Eso es amotinarse! —dijo Samuel aterrorizado—. Por eso te pueden ahorcar.

—Y entonces pienso en mis niñas —concluyó el viejo desanimado—, y recuerdo que por ellas debo evitar que me ahorquen. Pero mi viejo cuerpo no tiene fuerzas suficientes para sobrevivir a otra flagelación. Te lo digo de veras, Samuel, voy a morir bajo el látigo de James Blade.

El tiempo siguió turbado y peligroso. A los dos meses de haber iniciado el peligroso cruce del océano, una tormenta hundió el Viscount, *un bergantín de diecio-*

cho cañones que formaba parte de la pequeña flota. El Griffin recogió a treinta y cuatro marineros que flotaban a la deriva. El resto simplemente desapareció entre las aguas y jamás los volvieron a ver. El capitán Blade se mantuvo en las jarcias de los obenques durante toda la operación, chasqueando el látigo al viento y la lluvia y lanzando improperios a los rescatadores y los sobrevivientes por igual.

Ahora se amontonaban en el barco más de cien almas. Las situación no era sólo incómoda, sino peligrosa. La fiebre se difundió como fuego entre aquella masa humana. Ya habían muerto seis hombres, entre ellos el carpintero de a bordo, entre cuyas responsabilidades estaba la de reemplazar las tablas podridas o rotas del casco. El Griffin flotaba muy bajo en el agua. A Samuel le ordenaron salir de la cabina del hacedor de velas para que se uniera al ejército de operadores de bombas de achicamiento en el aire irrespirable de la sentina.

Regresaba doblado por la fatiga después de varias horas bajo cubierta, cuando escuchó un grito en la distancia.

—¡Barco a la vista!

Era Evans, que estaba trepado en lo alto de los obenques donde había estado tratando de remendar una rajadura que había sufrido la vela cuadrada de la parte superior del palo mayor. Desde ese lugar privilegiado, había divisado otro barco en el horizonte.

El capitán Blade asomó la cabeza desde su camarote.

—¿Es uno de los nuestros?

Evans entrecerró los ojos.

—No lo distingo, capitán.

Blade salió como un bólido hacia cubierta.

—¿Usted es marinero o grosellero, señor?

Samuel trató de salir en defensa del viejo.

—Él no sabe de barcos, señor. Es sólo un campesino que se hizo...

¡Bam! La gran esmeralda relampagueó al sol mientras el capitán dejaba caer el mango de hueso de su látigo en la frente de Samuel. Cayó de rodillas, viendo las estrellas.

—Te vas a ganar unos azotes si tengo que subir allá arriba —le gritó el capitán al viejo.

Pero Evans estaba paralizado. Sus ojos miopes y pálidos no podían reconocer el barco en la distancia, y el miedo que le tenía al capitán le impedía tratar de adivinarlo.

—Te vas a arrepentir de haberme enojado —dijo Blade mientras comenzaba a subir, sin mucha rapidez, pero con la autoridad y el equilibrio que le daban las décadas que había pasado navegando.

Era una pesadilla, reflexionó Samuel al ver que el capitán se acercaba al viejo. Recordó las palabras de su amigo: "Mi viejo cuerpo no tiene fuerzas suficientes para sobrevivir a otra flagelación...".

Samuel se lanzó hacia las amarras, subiendo como una araña, sorprendido de lo rápido que lograba subir. "Las chimeneas —pensó mientras las manos y los pies se movían acompasadamente—. Si puedo subir las chimeneas de Sewell, puedo subir cualquier cosa".

El capitán gritó enfurecido al llegar al nivel de Evans:

—Gusano inútil, ¿no reconoces tu propia insignia? Te voy a azotar hasta que no quede de ti más que tus dientes putrefactos.

El fiero verde de la esmeralda brilló al sol. Samuel pensó que Blade iba a azotar al pobre campesino allí mismo en las jarcias de los obenques. Era una posibilidad horripilante. Evans de seguro iba a perder el equilibrio y caer. Pero entonces se dio cuenta de que era el viejo el que había agarrado el látigo y trataba de amarrarlo a la garganta de Blade.

—¡No! —gritó Samuel, pero sabía que ya era demasiado tarde. Según las leyes de marinería, incluso tocar al capitán era un crimen capital. Sucediera lo que sucediera a continuación, Evans sería ahorcado.

—Miserable... amotinado...

Haciendo uso de toda su fuerza, Blade logró soltarse. Con las manos entrelazadas, le dio con todas sus fuerzas al viejo en la cabeza. Evans se quedó rígido por un momento y luego soltó la cuerda. Con horror, Samuel vio a su único amigo caer a la muerte sobre la cubierta que estaba treinta metros más abajo.

El esfuerzo del golpe asestado había hecho perder el equilibrio al capitán y, con un grito terrible, perdió el cabo del que se agarraba.

"No lo voy a ayudar —decidió Samuel mientras su amo caía en dirección a él—. No voy a salvar al asesino..."

Pero su acción fue puro instinto. Cuando el capitán cayó, tratando desesperadamente de asir un cabo, Samuel extendió el brazo y lo agarró por el cinturón. No pudo sostenerlo, pero frenó la aceleración de la caída y eso fue suficiente para que Blade pudiera agarrarse de la red de cabos. El cruel capitán se quedó colgando, sin aire, lloriqueando y dominado por el pánico mientras los marineros rodeaban el cuerpo sin vida del viejo en la cubierta.

"Tendrías que haber sido tú, Blade, el que estuviera muerto sobre la cubierta, y Evans el que estuviera aquí arriba conmigo, enviando tu alma negra al demonio", pensó Samuel mientras trataba de contener las lágrimas. Sin embargo, en voz alta dijo:

—¿Está bien, señor?

Con mucho cuidado, Blade se alzó sobre los cabos para mirar al muchacho.

—Eres mi ángel de la suerte, muchacho —dijo extenuado—. Tienes mucha suerte, Samuel Higgins.

CAPÍTULO NUEVE

Lenta pero decididamente, Kaz, Adriana, Dante y Star comenzaron a adaptarse a la rutina del Instituto Oceanográfico Poseidón. Continuaron sus expediciones submarinas con Cutter y su equipo a bordo del *Ponce de León*, identificando las cavernas submarinas y tratando de no llamar la atención mientras observaban las actividades de a bordo.

—No debemos demostrarles nuestras sospechas —advirtió Star—, sea cual sea el asunto en el que estén metidos.

Dante pensaba que no debían meter sus narices en los asuntos de los adultos.

—Si están en una misión secreta o algo así —decía él—, pues mejor que se quede en secreto.

—Sólo tenemos curiosidad por saberlo —insistió Kaz—. No es que seamos espías ni nada de eso.

—¿Y quién tiene más derecho que nosotros a saberlo? —añadió Star—. Están echando a perder nuestro programa de verano. Al menos podrían explicarnos por qué lo hacen.

INMERSIÓN

De modo que siguieron ocupados en sus tareas y atentos a lo que hacían los del equipo de
San Diego, aunque no había mucho que ver.
Según el capitán Vanover, un magnetómetro se
parecía mucho a un equipo de sónar, de modo
que eso no les daba muchas pistas. Cutter se
pasaba la mayor parte del tiempo bajo cubierta
con la cabeza hundida en resmas y resmas de la
información impresa en la computadora. Reardon se comportaba como cualquier turista pere-
zoso que estuviera de vacaciones pescando en el
Caribe. Casi no se apartaba de la proa y de su
vara de pescar. El capitán Hamilton sólo se en-
cargaba de maniobrar el barco. Marina era la
única que se relacionaba un poco más con los
muchachos.

—Si alguien es completamente inocente en
el equipo de Cutter, tiene que ser ella —opinó
Adriana—. Es una persona generosa que sólo
nos quiere ayudar.

—Y que parece una supermodelo —concluyó
Kaz.

—No hay que ser fotógrafo para darse
cuenta de que es una belleza —agregó Dante.

Star hizo un gesto de impaciencia.

—Ustedes son patéticos.

No era la primera burla que Dante recibía
con relación a Marina. Cuando reveló el se-

gundo paquete de fotos, más de la mitad eran de Marina. Y peor aun, el revelado fue tan malo que su piel perfecta parecía tener el mismo color anaranjado que las fotos de ciertos corales.

—Sigue con el morado, Romeo —fue la opinión de Adriana.

Los muchachos no hablaron a nadie de sus sospechas, no le dijeron nada a los demás miembros del instituto por miedo a que se lo contaran a Cutter. Cuando hacían alguna pregunta era muy general, sin hacer ninguna referencia al equipo de California.

—¿Para qué arrastran los barcos un magnetómetro de barrido lateral? —le preguntó Adriana al capitán Vanover en la cafetería una noche.

—Depende de quién esté a bordo y de lo que esté buscando —fue su respuesta—. Un magnetómetro es simplemente un detector de metales glorificado. Los geólogos dicen que las mayores vetas de oro del mundo están bajo el mar.

—¿Y las compañías mineras los usan? —preguntó Kaz.

—A veces, pero a los buscadores de naufragios les encantan. Cualquiera que esté buscando algo grande bajo el mar lo usaría. ¿Cómo creen ustedes que encontraron el *Titanic*? Y el ejército lo usa muchísimo. Siempre anda buscando algo: equipos y cañones que pierden en la borrachera.

Dante les lanzó una mirada expresiva a los otros. ¿Sería esa la extraña investigación que estaban haciendo, una misión secreta de la marina de guerra para buscar un submarino hundido o una bomba atómica extraviada?

—Pero por esta zona —continuó Vanover—, los magnetómetros los usan los buscadores de tesoros.

—¿Buscadores de tesoros? —repitió Star.

—Por supuesto —les dijo el capitán—. Hace algunos cientos de años estas aguas eran la autopista del dinero. Y se dice que al menos la mitad del dinero yace en algún rincón del fondo del mar.

Adriana asintió pensativa.

—En los siglos XVII y XVIII, los españoles enviaron a España miles de millones en tesoros del Nuevo Mundo.

—Y muchos de aquellos barcos jamás llegaron a Europa —explicó Vanover—. Los huracanes, los arrecifes y los piratas dieron cuenta de ellos. Para eso se usan los magnetómetros. El oro y la plata son metales. Si un galeón estuviera hundido en la zona, su cargamento aparecería en el magnetómetro.

Dante estaba asombrado.

—¿Y eso da resultados? ¿Lo vas arrastrando hasta que descubres algo y sacas los millones?

El capitán se echó a reír.

—Es un poco más complicado, Dante. En primer lugar, el mar es inmenso, cubre tres cuartas partes de la superficie de la tierra, ¿recuerdas? En segundo lugar, la mayoría de esos restos de naufragios está a miles de metros de profundidad, donde ningún buzo puede llegar. Aunque los restos de un naufragio estén a poca profundidad, no quiere decir que el barco esté cargado de lingotes de oro abandonado sobre la arena. Los barcos antiguos eran de madera. La mayor parte de la estructura se habrá desecho a estas alturas, devorada poco a poco por criaturas marinas microscópicas. Y casi todo lo que quede estará cubierto por una capa de coral, lo cual es otro problema. Destruir arrecifes está prohibido por la ley.

—En otras palabras, lo mejor es olvidarse del asunto —concluyó Kaz.

—La mayoría de los buscadores de tesoros se pasan décadas buscando y jamás encuentran nada —agregó Vanover—, pero hay excepciones. Un tal Mel Fisher descubrió dos galeones hundidos cerca de los cayos de la Florida y sacó cientos de millones de dólares en oro y gemas.

Dante dio un silbido.

—¡Se puso las botas!

—No necesariamente —dijo el capitán—. ¿A quién le pertenecen los tesoros que hay en el fondo del mar? Ahora el gobierno ha puesto una demanda judicial contra él y anda rodeado de abogados.

—Con cien millones se pueden contratar un montón de abogados —señaló Dante—. Eso no es simplemente ser rico; es estar podrido en dinero.

Estar podrido en dinero... ese era el sueño secreto de Dante. Y no es que el resto del mundo no quisiera ser rico, sino que para un artista, un montón de dinero tenía un significado especial: la libertad. Podría dedicarse a su arte sin tener que preocuparse por vender las fotos o ganarse la vida con ellas.

Un fotógrafo con seguridad financiera no tenía que aprender nada sobre el color. Lo cual era una ventaja definitiva a los ojos de Dante.

No tendría que bucear.

Dante era el peor buzo del grupo, pero incluso su deficiente técnica estaba mejorando. Todos estaban mejorando su buceo por la sencilla razón de que estaban pasando un montón de horas bajo el agua.

—A bucear se aprende buceando —era la

opinión de Star—. Hasta un mono mejoraría su buceo si pasara tanto tiempo bajo el agua como nosotros.

Cuando se trataba del buceo, Star se ahorraba los halagos como un avaro ahorra sus monedas. Quien la escuchara pensaría que sólo ella, el Inglés y Jacques Cousteau eran buenos buzos, y probablemente en ese orden. Eso molestaba a Kaz.

"Piensa que nosotros somos unos inútiles —reflexionaba con resentimiento—. Probablemente le salvé la vida en aquel avión, y ni siquiera me dio las gracias".

En realidad, Star había notado todos los progresos que Kaz había hecho como buzo. Su técnica era primitiva, pero la habilidad atlética natural del canadiense le daba una fuerza, una energía y un control corporal increíbles. ¡Y podía aguantar la respiración casi un año! Una vez a Adriana se le enredó el cabo de seguridad en un banco de abanicos de mar. Al tratar de zafarse, cortó sin querer la manguera del oxígeno. Tuvo que subir a la superficie respirando "por parejas" con el regulador de Kaz.

Era una situación tensa para cualquier buzo, pero Kaz mantuvo la calma, como lo había hecho en el bombardero alemán. Star observó nerviosa el ascenso, lista para ayudar. No fue necesario. Por lo que había podido ver, Kaz apenas necesitó respirar una o dos veces en todo el recorrido hacia la superficie. ¿Cómo habría aprendido una rata de hockey a hacer semejante cosa?

Lo único que parecía asustar a Kaz era los tiburones. Con el agua como cristal de aumento, hasta el más pequeño tiburón de arrecife era intimidante. Y, por supuesto, también había que contar con el tiburón tigre de seis metros de largo que andaría cerca... a no ser que todo el cuento sobre Clarence fuera un invento de Vanover para asustar a los muchachos.

"Lindo invento", pensó Kaz. Le caía bien el capitán. En Poseidón, Vanover era la única persona que parecía tomar en serio a los becarios, excepto Marina, quizás.

Pero a Bobby Kaczinski los tiburones no le resultaban nada simpáticos.

Los jóvenes buzos descansaban cada cuatro días para permitir que sus organismos expulsaran los residuos de nitrógeno. Eso les daba la oportunidad de conocerse en tierra. Los extraños acontecimientos que habían ocurrido durante el programa los habían forzado a unirse. Era algo que probablemente nunca habría sucedido si el programa se hubiera seguido según lo planeado.

El instituto tenía montones de bicicletas que ellos podían usar, de modo que se dedicaron a recorrer las otras aldeas de Saint-Luc y nadar en las numerosas playas y ensenadas que rodeaban la pequeña isla. Incluso cuando no estaban en los arrecifes, los muchachos pasaban buena parte de su tiempo en el agua. Era la única manera de soportar el intenso calor.

Al principio, a Star le costaba seguirlos, hasta que Kaz les sugirió que disminuyeran la velocidad para que ella pudiera mantener el ritmo. Y entonces, de alguna manera, la muchacha de la pierna débil salió disparada a tal velocidad que estuvo a punto de pasarles por encima. Las horas siguientes las pasaron jadeando para poder seguirla por los polvorientos caminos de la isla.

—Ya sé cómo lograr hacer cualquier cosa en esta isla —comentó Kaz—. Le dices a Star que ella no lo puede hacer.

—Pues entonces deberíamos decirle que ella no puede ponerle aire acondicionado a la isla —dijo Dante, jadeando mientras subía una cuesta a la cola del grupo.

Mientras recorrían la costa oeste de Saint-Luc, apareció una nueva silueta en el horizonte: las gigantescas plataformas petroleras se extendían hacia el interior del mar Caribe como una serie de colosales aros de croquet.

—¡Increíble! —dijo Dante con un suspiro—.
Mira eso.

Ver cualquier construcción humana en un lugar tan remoto como Saint-Luc era una nota discordante. Las inmensas torres de cemento y
acero que se alzaban a cientos de metros sobre
el mar parecían irreales... como si fueran una escenografía pintada en el horizonte.

—Ahí debe de ser donde trabaja el Inglés
—dijo Kaz en voz baja.

Sumergirse en el mar al pie de aquellos
equipos inmensos tenía que ser aterrador, pero
para el Inglés probablemente no era ningún
problema. El mar no intimidaba a Menasce
Gérard.

No podría hacerlo.

CAPÍTULO DIEZ

Marina Kappas observó el ligero oleaje que vestía la superficie del Caribe con un gesto de disgusto en sus labios perfectos.

—La superficie no se ve tan mal, pero te apuesto que a unos metros por debajo hay corriente.

—Sí, seguro —dijo Star, bostezando y dejándose caer al agua desde el trampolín de buceo.

Marina se dirigió a los otros tres becarios.

—Van a estar sujetos al Brownie con cabos de seguridad. Sin cabos, podrían irse a la deriva sin darse cuenta —dijo preocupada—. Y no pierdan de vista a Star. A veces el exceso de confianza es nuestro peor enemigo.

Kaz se puso su careta.

—No le quitaremos los ojos de encima —dijo—, pero no le vayas a contar que yo lo dije.

Dante cayó al agua pesadamente, mordió su regulador, desinfló su chaleco y se sumergió. Sintió la corriente a pocos pies de la superficie. La fuerza invisible era más sutil que el viento, pero era constante, empujándolo lenta pero irremisiblemente hacia atrás.

"No te dejes dominar por el pánico —se dijo, recordando su entrenamiento para la licencia de buzo—. Sigue descendiendo".

El consejo resultó correcto. Al llegar a los diez metros, el zarandeo del océano perdió fuerza. Fue en ese momento que notó algo extraño.

"¿Adónde se habrán ido los peces?"

El arrecife estaba desierto. Los corales seguían allí, con sus anémonas y sus abanicos de mar, pero la eterna masa de peces característica de los Bancos Escondidos simplemente había desaparecido.

Lanzó una mirada interrogadora a Adriana. Su compañera se encogió de hombros sin poder dar una respuesta.

La turbulencia comenzó encima de ellos. Al principio se parecía a los rápidos, las aguas de los ríos que se mueven a gran velocidad cubiertas de espuma.

Trató de enfocar su cámara hacia arriba para retratar el fenómeno, pero giró con mucha fuerza, adoptando una posición diagonal como el eje de un globo terráqueo. A través de la lente de su Nikonos vio una panorama borroso, y entonces...

¡Dos ojos y un protuberante morro miraban directamente a la cámara!

Por poco se sale del traje de buzo del salto que dio, pero entonces reconoció la criatura que tenía delante.

"¡Un delfín!"

Un grupo de delfines, en realidad, llenaba el arrecife con una cacofonía de chillidos agudos. Dante trató de calcular cuántos eran, pero los mamíferos marinos se movían demasiado rápido... más rápido que cualquier cosa que hubiera visto moviéndose en el agua. Había por lo menos veinte delfines, treinta quizás, que subían y bajaban al pasar a su lado.

El delfín que se había acercado a él dio una vuelta a su alrededor a toda velocidad y después se alejó para sumarse al grupo.

"No me extraña que los peces hayan desaparecido. Esto es una cacería. No se fueron a ninguna parte, están escondidos".

Comenzó a tomar fotos. Dante sólo había visto delfines en acuarios y parques temáticos. Estos se parecían a los que había visto: delfines mulares, pero en los tanques de exhibición de Sea World no podían mostrar ni remotamente la personalidad de esos animales. Los ojos de los peces no tenían expresión, pero los de los delfines brillaban con carisma, incluso cierto sentido del humor. La cara que había asustado tanto a Dante no era amenazadora. Por el contrario, era casi de burla, como si le dijera: "Muchacho, qué mal nadas. ¿Qué haces metido en el mar?".

"Necesito una cámara de video", pensó. Las fotos nunca podrían reflejar el carácter juguetón de los delfines. Entrecerró los ojos para ver mejor un objeto pequeño de color oscuro que parecía ir nadando con los delfines. Era una caracola que se pasaban de uno a otro con golpes de morro. ¡Un juguete!

"Son casi humanos". Se preguntó si los delfines considerarían esa opinión como un halago.

Un diestro golpe con el morro envió la caracola a las manos de Dante. El muchacho la lanzó de nuevo hacia los delfines, que inmediatamente se la lanzaron a Adriana.

"Están jugando —pensó Dante maravillado—. Están jugando con nosotros".

Llevaban jugando unos treinta segundos cuando Dante dejó caer la caracola, ganándose un chillido de desaprobación de un cetáceo de dos metros de largo. Interactuar con esas criaturas, tan extrañas y al mismo tiempo tan humanas, era una experiencia que no iba a olvidar jamás.

Pero Star no estaba dispuesta a despedirse aún de sus nuevos amigos. Con un fuerte impulso de sus piernas, se acercó por detrás a la aleta dorsal de uno de ellos y se sujetó a ella con la mano. El delfín pareció sorprendido al principio, pero después salió velozmente, arrastrando a la muchacha a su lado. De repente, Dante sintió que su cabo de seguridad se había enredado en algo. Y muy pronto salió moviéndose a toda velocidad por el agua.

Su susto pronto se convirtió en asombro. Como los cuatro buzos estaban conectados al Brownie, el delfín que llevaba a Star los arrastraba a todos. Pudo ver que Kaz y Adriana también eran arrastrados por el delfín. Kaz tenía los brazos extendidos como si fueran las alas de un avión. Esos locos la estaban pasando fenomenal.

"Es como una montaña rusa submarina".

Los otros delfines los acompañaban mientras el arrecife desaparecía en la distancia.

"¿Pero no será peligroso?"

Dante no vio el coral que se acercaba a toda velocidad.

CAPÍTULO ONCE

¡Bam!

Dante rebotó contra una torre de piedras vivas como si fuera una muñeca de trapo. El tirón frenó el Brownie en la superficie y la aleta del delfín se le escapó a Star de la mano. Se había terminado el juego. Los delfines desaparecieron en unos segundos.

Los muchachos se acercaron a Dante, que flotaba en el agua aturdido pero sin ninguna herida, con la Nikonos aún colgando de su brazo.

Star miró su careta, temiendo que hubiese perdido el conocimiento a causa del choque, pero tenía los ojos abiertos y miraba fijamente el lecho marino.

Para Dante era como estudiar un pixelgrama: ese momento en que tu cerebro establece la conexión y te hundes en la profundidad de la imagen en tercera dimensión. No era ni siquiera una imagen real, era más bien como el eco de una imagen, formado por miles de capas de pólipos de coral que surgían de un objeto hundido y olvidado desde hacía mucho tiempo.

EL DESCUBRIMIENTO

Desinfló su chaleco y comenzó a descender al fondo. Los otros lo siguieron sin entender lo que sucedía. No lo veían, no lo podían ver.

Estaba tan emocionado que por poco deja caer su pizarrón de buzo. Garabateó la palabra que le saltaba en la mente, con el corazón latiendo tan fuerte que parecía salírsele del pecho: "ANCLA".

Los demás lo miraron sin comprender.

"¿Estarán ciegos ustedes? —quería gritarles—. Ahí mismo... en sus narices".

El mismo problema de visión que le impedía reconocer bien los colores le había revelado la presencia del ancla con una sutil mezcla de luz, textura y sombra. Los otros jamás podrían verla. Se la tenía que mostrar.

¿Pero cómo? El coral era como una roca; en realidad era una roca bajo la capa de organismos vivos de la superficie.

Unos metros más allá, el arrecife daba paso al arenoso lecho marino. Comenzó a cavar con las dos manos. En unos segundos, el agua cristalina se puso turbia con el lodo.

Star, Kaz y Adriana lo observaban con evidente asombro. ¿El golpe le habría dañado el cerebro a Dante? ¿Por qué se había puesto a hacer castillos de arena en el fondo del mar?

Kaz le tocó el brazo, pero Dante lo apartó

con un gesto. Estaba concentrado en su tarea, haciendo un túnel para llegar hasta el ancla. "¿De qué tamaño hacen estas cosas? Si la parte de arriba es proporcional al resto, debía estar por aquí..."

Su guante chocó contra algo duro. "¡La encontré!", gritó en el regulador.

Había levantado tanto lodo que el agua estaba de color marrón. Le agarró la mano enguantada a Kaz y la puso sobre el antiguo objeto de hierro.

Star se quitó una de sus patas de rana y apartó el lodo del agua que había sobre el objeto. Vieron un grueso mástil con un aro en la punta. A su lado flotaba un pequeño disco negro que había salido del fondo al sacar la arena.

"¿Sería un fragmento del antiguo metal?"

Dante lo metió en su bolsa de buceo como prueba de la existencia del ancla. Pero había otro problema: ¿Cómo volverían a hallar este lugar?.

Entonces recordó las boyas de localización. Sujetó una al aro de hierro y envió la boya a la superficie. Los chicos siguieron su trayectoria hacia la superficie, cuidándose de no subir más rápido que sus burbujas.

Unos cuantos peces los observaban mientras ascendían: eran las tropas de reconocimiento que estaban tratando de averiguar si los delfines ya se habían ido. El arrecife estaba volviendo a la normalidad.

Los buzos salieron a la superficie y nadaron una corta distancia hasta el Brownie. El *Ponce de León* estaba casi sobre ellos, una silueta contra el brillante sol del trópico.

—¡Aquí! —gritó Star, jadeando y agitando los brazos.

—¡Encontramos algo! —añadió Dante.

Marina saltó al trampolín de buceo para ayudarlos a subir a bordo.

—No veo muchas boyas de localización.

—No hallamos ninguna caverna —exclamó Dante—, sino un ancla.

—Estás bromeando —dijo Cutter mientras se acercaba a la carrera seguido por Reardon.

Muy pronto, los cuatro buzos estaban sobre cubierta, chorreando agua. Adriana se quitó las patas de rana.

—¿Eso es lo que ustedes andan buscando con el magnetómetro? —dijo—. Sabemos que no están haciendo imágenes de sónar del fondo marino.

Los tres científicos intercambiaron miradas sin decir nada. Finalmente, Marina habló.

—Nuestro equipo puede hacer ambas cosas: reconocimiento del fondo marino y detección de objetos metálicos. Cuando publiquemos nuestro mapa, tendrá una lámina con los depósitos minerales que hay bajo el arrecife. Para eso usamos el magnetómetro.

—¿Y cómo fue lo del ancla? —dijo Reardon con tono huraño.

—Dante la encontró —explicó Kaz, aún sin aliento—. Está casi totalmente cubierta por los corales. Se ve que es muy antigua.

—Tengo un pedazo —añadió Dante mientras buscaba en su bolsa.

Cutter frunció el ceño.

—¿Un pedazo del ancla?

—Más bien una astilla —dijo el fotógrafo, y sacó el pequeño disco negro. Tenía una silueta irregular, pero redondeada, de unos diez centímetros de diámetro—. ¿Lo podrían analizar? Quiero decir, determinar cuántos años tiene.

A Reardon se le escapó un suspiro, que Marina cortó con una mirada recriminatoria. Cutter habló, sopesando cada palabra.

—Les voy a decir esto ahora mismo porque sé la vergüenza que pasaron cuando en el instituto supieron lo del avión alemán. Muchachos, acaban de descubrir el ancla del *Queen Anne's Revenge*.

Adriana le lanzó una mirada.

—¿El barco de Barbanegra?

—¿No recuerdan la película? Harrison Ford hacía del buzo que descubre el ancla en el lodo.

—No me estarás diciendo... —los ojos de Star se entrecerraron—. ¿Otra escenografía de una película?

Cutter asintió.

—Les tomó tres semanas a los técnicos enterrarla bien en el fondo.

—El ancla no estaba enterrada en el lodo —dijo Kaz—. Estaba bajo los corales.

—El coral crece rápido —explicó Adriana—. Especialmente sobre algo duro como un ancla. ¿Cuánto hace que filmaron la película, siete u ocho años?

—Pero el *Queen Anne's Revenge* no se hundió en el Caribe —señaló Adriana—. Se hundió cerca de las Carolinas. ¿Por qué iban a filmar la película aquí?

Cutter se encogió de hombros.

—En la pantalla, el agua es agua. No puedes identificar la latitud por el color del agua. A los de Hollywood les gusta trabajar donde el mar es cálido, agradable y cristalino. Es más fácil y más barato.

Dante miró su pedazo de ancla con desconsuelo.

—No vale nada.

Cuando tomaba impulso para lanzar el fragmento de ancla al mar, Reardon saltó y se lo quitó de la mano.

—¿Me dejas conservarlo? —le preguntó—. Soy fan de Harrison Ford.

Star lo miró con disgusto.

—¿Hay algo más que debamos saber para dejar de hacer idioteces? ¿Acaso Steven Spielberg recreó la Atlántida cerca de las plataformas petroleras?

Marina se echó a reír.

—No te avergüences. Ustedes lo están haciendo muy bien y se están volviendo unos buzos excelentes. No se obsesionen con anclas enterradas en el fondo del mar y descubrimientos. Eso sólo les traerá desilusiones.

—Sí —añadió Cutter—. Hace años que en estas aguas se descubrieron todos los objetos de valor que podía haber. No hay nada que hallar allá abajo.

Durante toda la conversación, Chris Reardon no le quitó los ojos de encima al pequeño disco negro.

11 de agosto de 1665

Las reservas de frutas del Griffin *se habían podrido hacía mucho tiempo y ahora estaban llenas de gusanos.*

—¡Cómetelas, Samuel! —le ordenó York, el barbero del barco—. Y los gusanos también. Te van a mantener los dientes sujetos a la boca.

Samuel cerró los ojos y le dio una pequeña mordida a una manzana podrida. Podía sentir los animalitos moviéndose en su lengua. Tragó rápidamente y sintió una arcada de asco.

Como barbero, York hacía muchas más cosas que cortar el cabello a la tripulación. Hacía oficio de médico, boticario y dentista.

—El escorbuto primero te hace perder los dientes —le explicó—. Después la mente. Y después la vida.

Era cierto. Al inicio del viaje, a cada miembro de la tripulación del barco se le había asignado una pequeña cantidad de fruta. Los que no habían guardado celosamente su ración, sufrían ahora los efectos de la enfermedad. Sin dientes, con sus cuerpos doblados por el dolor, se movían dando tumbos por el barco,

INMERSIÓN

tratando de realizar las tareas que les estaban asignadas. Muchos otros ni siquiera lo intentaban. Se quedaban tumbados en sus literas con la vista fija en la nada. De los ochenta y dos marineros del barco y los treinta y cuatro sobrevivientes del Viscount, sólo sesenta hombres, apenas la mitad, quedaban con vida. Casi cuatro meses después de salir de Inglaterra, el resto había sucumbido al escorbuto, la fiebre y los incesantes temporales del Atlántico. El insoportable hedor de la muerte se unía ahora a los fuertes olores que componían el terrible hedor del barco.

Los funerales se iban haciendo cada vez más comunes: ahora había dos o tres cada día. Habitualmente, envolvían los cuerpos en una sábana para lanzarlos al mar, pero coser las sábanas era parte del trabajo del hacedor de velas, y Evans había muerto hacía tiempo. Samuel se esforzaba por realizar las tareas del viejo, pero apenas lograba mantener las velas del Griffin en su lugar. De modo que los muertos eran lanzados desnudos al océano.

"A los tiburones les da lo mismo —repetía el capitán Blade—. Un almuerzo es un almuerzo, esté envuelto o no". El cruel marinero que jamás se perdía una flagelación no había presenciado un solo funeral.

—El capitán de un barco tiene cosas más importantes que hacer que darle comida a los peces —le decía a veces a Samuel.

No pasaba una hora sin que Samuel se maldijera a sí mismo por haberle salvado la vida a su amo en los obenques. Su odio por el capitán se hacía más profundo a medida que el barco se acercaba al Nuevo Mundo.

Pero mientras el resentimiento aumentaba en Samuel, James Blade había comenzado a apreciar al muchacho que le había salvado la vida aquel día.

En apariencia, nada había cambiado. El capitán seguía tratándolo como a un esclavo que no se merecía ni la más mínima consideración, pero Blade le había ordenado al barbero que cuidara al joven marinero a quien la tripulación llamaba Dichoso.

Todo eso a pesar de que los hombres del Griffin evitaban a York como si fuera un espíritu maligno. Generalmente estaba cubierto de sangre, cortando la pierna de un marinero o algo así. Su nueva "amistad" con el muchacho sólo hizo sentir a Samuel más aislado del resto de la tripulación. Y tenía que agradecérselo a James Blade.

Los sentimientos de Samuel por el capitán no mejoraron con la información que obtuvo en los días en que le tocaba achicar el agua de la sentina. Mientras batallaba con las bombas de achique y el hedor, podía escuchar a los marineros hablando del día en que las bodegas del barco irían llenas de oro y plata. Muy pronto, decían ellos, el Griffin navegaría casi hundiéndose por el peso de los tesoros españoles *robados, y todos los hombres de su tripulación serían ricos.*

Samuel regresó al camarote del capitán tan pronto terminó su turno, ignorando la fatiga y los calambres que sentía en sus músculos. Halló a Blade sentado frente a su pequeño escritorio, examinando su derrotero, el diario secreto del piloto de un barco que había hecho esta ruta antes. No había mapa ni carta de navegación, ni instrumento que fuera tan vital para un viaje seguro como un buen derrotero.

—¡Señor! —gritó Samuel asustado, y le contó lo que había escuchado mientras trabajaba en las bombas de achique—. Eso no es cierto, ¿verdad, capitán? Nosotros no somos... piratas.

—¿Piratas? —dijo el capitán mientras el mango de hueso caía sobre la cabeza de Samuel con una fuerza devastadora, asesina. Lo último que vio antes de que desapareciera de su vista el camarote del capitán fue la expresión de furia en el rostro de James Blade.

Cuando Samuel recobró el conocimiento, el dolor era tan intenso que parecía perforarle el alma. Estaba en el asiento de cirugía del barbero. York estaba echando agua de mar sobre la cabeza del muchacho.

—Un consejo de amigo, jovencito —le dijo el hombre con una voz un tanto burlona—, nunca le digas "pirata" al capitán Blade. Tienes suerte de que le caes bien.

Samuel trató de sentarse, pero el dolor era insoportable.

—Somos piratas —susurró con amargura—. Ladrones. Asesinos también, probablemente.

—Escúchame, muchacho —le ordenó York—. Nosotros somos patriotas, contamos con el apoyo del Rey de Inglaterra. En este barco hay documentos firmados por Su Majestad en el mismo Londres. Esos documentos nos dan el derecho, mejor dicho, nos imponen la responsabilidad de atacar y sabotear los barcos enemigos que traen mercancías desde las Indias.

Samuel hizo un gesto de disgusto.

—¿En qué ayuda a Inglaterra que nosotros robemos sus tesoros?

—Con el oro se compran barcos, muchacho. Y se entrenan soldados y se los equipa con mosquetes y cañones —explicó el barbero—. Estamos en guerra, Dichoso, y la riqueza es poder. La Armada Real no puede desperdiciar un barco en cada rincón mugriento del Nuevo Mundo. Esa misión nos toca a nosotros, los patriotas, los corsarios. Somos tan legales como los magistrados, y con patente de corso para asaltar a esos holandeses con escorbuto.

—Pero... —dijo Samuel confundido—, pero ellos estaban hablando de los tesoros de los españoles, no de los holandeses.

—Es cierto —confirmó York—. Y es un estorbo in-

sufrible eso de que Su Majestad, que Dios le guarde, haya acordado una tregua con los malditos españoles, pero el océano es inmenso y las cortes europeas están muy lejos. Todo el mundo comete errores, ¿entiendes? En medio de la batalla, un barco español es idéntico a uno holandés, y un tesoro es un tesoro, no importa de qué mano muerta lo arranques —dijo, y puso un brazo alrededor de los hombros del muchacho; Samuel hizo una mueca de asco al sentir el hedor de su camisa cubierta de manchas de sangre. La cara picada de viruela del barbero estaba a una pulgada de la suya, y su aliento era tan hediondo como el resto de su cuerpo—. Y en esta parte del mundo, Dichoso, no hay tesoro más brillante que el oro español.

CAPÍTULO DOCE

Kaz fue dando tumbos en la oscuridad de las 4:45 de la mañana por el camino entablado que unía las instalaciones de Poseidón con el pequeño puerto de los yates deportivos. Casi no había luna. Sólo un puñado de estrellas titilaban sobre el cielo nublado para alumbrarle el camino.

Se oyó un ruido: su bolsa de buceo había caído sobre el muelle. Cuando se inclinó a recogerla, tanteando en la oscuridad, su cuchillo se salió de la vaina y cayó de punta en las viejas tablas. Hubiera podido caerle sobre el pie.

Con un gruñido que fue apagado por un bostezo, recogió sus equipos. Los jugadores de hockey también tenían que llevar un montón de cosas. ¿Por qué estaba tan aturdido esta mañana?

—¡Kaz! ¿Eres tú?

Dante le hizo señas desde las luces de la bahía. Kaz terminó de recoger sus cosas y se acercó apresuradamente.

—¿Dónde está el barco?

—Ya salió —le dijo el muchacho.

—¡Estás bromeando! —dijo, entrecerrando los ojos para observar varias naves de investi-

INMERSIÓN

gación que había en el embarcadero. El *Ponce de León* no estaba.

—Quizás lo llevaron a darle mantenimiento —sugirió Dante—. A lo mejor necesitaba un cambio de aceite...

—O echarle aire a las ruedas —añadió Kaz con sarcasmo.

—Sabes lo que quiero decir, las cosas que se le hacen a los barcos.

—¿De qué están hablando? —dijo Star, apareciendo de pronto con la bolsa de su equipo de buceo colgada del hombro.

Adriana venía detrás de ella. Lanzó una rápida mirada a la bahía.

—¿Otra vez? Yo pensé que esos jueguitos habían terminado.

—Puede ser que hayan tenido que darle mantenimiento al barco —dijo Dante.

—Quizás, pero me gustaría que Cutter me lo dijera él mismo.

Star puso su equipo en el embarcadero y se encaminó al instituto. Su cojera le daba un extraño aspecto a su paso casi militar, pero los otros la siguieron sin hacer ningún comentario. Era fácil darse cuenta de la expresión decidida que había en la cara de la muchacha. Sólo Kaz se atrevió a tratar de disuadirla.

—¿Sabes? Si el barco está en mantenimiento,

probablemente Cutter estará aprovechando para dormir un poco más hoy.

—No me importa si está en estado de coma —dijo Star, y acercándose con paso resuelto llamó a la puerta.

El jefe del equipo no estaba en casa, de modo que miraron por todo el laboratorio central donde Cutter, Marina y Reardon compartían una pequeña oficina.

—¿Tad? —la puerta estaba entreabierta. Star la abrió de un empujón y encendió la luz.

La habitación estaba desierta, y el escritorio estaba cubierto de mapas y hojas impresas en computadora. El único objeto adicional que había allí era un vaso lleno de lo que parecía ser agua. En el fondo se veía un pequeño disco de metal.

—El ancla de Barbanegra —dijo Dante con sarcasmo—. Muy pronto en un cine cercano.

Pero cuando dio un paso más, notó un fuerte olor a una sustancia química que procedía del líquido transparente. Cuando miró dentro del vaso, vio que su artefacto había cambiado.

La fuerte solución había disuelto la capa negra que la cubría. Ahora la pieza de metal tenía un color plateado brillante. Y lo que era más sorprendente, estaba estampada con un grabado gastado que parecía ser un escudo de armas.

Dante quedó anonadado. No era un pedazo

del ancla. Era una moneda. Se volvió a los otros muchachos.

—Muchachos, ¿es eso lo que yo creo?

Kaz miró el interior del vaso.

—Plata, ¿verdad?

—Sin duda —dijo Star—. Es bastante antigua, pero te garantizo que es algún tipo de moneda.

Adriana se acercó y le brillaron los ojos.

—No es una moneda cualquiera, es un octavo real.

Dante la miró intrigado.

—¿Un qué?

—Una moneda española —le explicó ella emocionada—. De hace cuatrocientos años. En el Museo Británico tienen muchísimas. En el siglo XVII, esa moneda de plata era la más común del mundo. Las llamaban octavos reales.

—¿Y tiene algún valor? —preguntó Dante animado.

—¿Tú qué crees? —le preguntó Star en tono burlón—. Es una moneda de más de trescientos años de antigüedad.

—Es un pedazo de historia —corrigió Adriana—. Esa moneda fue hecha con plata extraída de las minas de Suramérica por los descendientes de los incas. No se le puede poner un precio a algo así.

—¿Cincuenta dólares? —preguntó Dante—. ¿Cien? ¿Más? Y yo casi la tiro por la borda.

Los ojos de Kaz se entrecerraron.

—Pero Reardon no te lo hubiera permitido. Casi saltó sobre ti para quitártela.

—Él sabía de qué se trataba —dijo Star resentida—. Y Cutter también. El ancla no era un pedazo de utilería. Hallamos algo importante, y ellos están tratando de robárnoslo.

—Pues nosotros se lo robaremos a ellos —decidió Dante.

—Brillante —dijo Kaz—. ¿Y qué vamos a hacer respecto al ancla que está en el fondo del mar? No puedes esconderla en el cajón debajo de las medias. Tenemos que lograr que nos reconozcan el descubrimiento oficialmente. Vamos a ver a Gallagher.

Cuando el Dr. Geoffrey Gallagher llegó a su oficina a las ocho, encontró a los cuatro adolescentes dormidos en la entrada.

—Buenos días —dijo en voz alta para despertarlos. Notó con cierta molestia que el camarógrafo estaba filmando a los cuatro muchachos mientras se ponían de pie.

Kaz fue el primero en hablar.

—Dr. Gallagher, tenemos un problema. Hallamos esta moneda...

—Un octavo real español —señaló Adriana.

—Y también un ancla —añadió Dante—. Yo fui el primero que la vio. Yo pensé que era un pedazo del ancla, pero resultó ser una moneda...

Star lo interrumpió.

—Pero Chris Reardon se la robó...

—Bueno, nosotros se la dimos —dijo Kaz—, pero no sabíamos que era una moneda. Pensábamos que era un pedazo de la escenografía de una película...

Era la pura verdad, pero los soñolientos muchachos, aún tratando de organizar sus pensamientos, lo estaban contando en oraciones incoherentes y con constantes interrupciones.

Gallagher los miró perplejo. Al menos, notó él, el camarógrafo había dejado de filmar las habladurías de los cuatro adolescentes. Era obvio que no tenían nada que aportar a un documental científico.

Se puso de pie y los miró fijamente.

—Lo que parece que ustedes cuatro no entienden, mis queridos becarios, es que este instituto comprende docenas de proyectos independientes encabezados por docenas de científicos. Eso hace posible que todos los proyectos se lleven a cabo, pero yo no tengo autoridad sobre cada proyecto.

Ellos se quedaron en blanco, por lo que

Gallagher trató de hablar con un lenguaje más sencillo.

—Su jefe es el Sr. Cutter, no yo. Si tienen cualquier cosa que reportar, es a él a quien deben informar.

—Pero ése es precisamente el problema... —comenzó a decir Kaz.

En ese momento, el Dr. Gallagher se dio cuenta de que la luz roja de la cámara había vuelto a encenderse, indicando que el camarógrafo estaba filmando la escena.

—Los jóvenes son el futuro de la oceanografía. Ustedes son muy valiosos para Poseidón.

Y enseguida él y su camarógrafo entraron en la oficina y cerraron la puerta en la cara de los muchachos. Enojado, Kaz trató de asir el picaporte.

—Olvídalo —gruñó Star—. Ese tipo es un imbécil. Lo único que le interesa es dar una buena imagen en el documental.

Desanimados, regresaron al muelle para recoger sus equipos de submarinismo. Dante se sentó en las gastadas tablas.

—¡Vaya verano! —se lamentó—. Quisiera tomar el próximo catamarán que salga para Martinica y el primer vuelo para regresar a casa. Les debería decir que se quedaran con su beca. De todas formas, no es que esté haciendo miles de fotos maravillosas aquí.

—Yo me iría también —dijo Adriana con voz queda—, pero no tengo adónde ir. Mis padres estarán en Saint-Tropez o Corfú u otro lugar que esté de moda este año.

Star se cruzó de brazos delante de ella.

—Yo no soy de las que se rinde.

—Ninguno de nosotros lo es —replicó Kaz—. Sólo estamos comentando la situación, ¿está claro? No me digas que no te sientes decepcionada de cómo va esta beca.

—Yo debería sentirme más frustrado que todos ustedes —protestó Dante—. Técnicamente, fue a mí al que engañaron. Fui yo el que descubrió el ancla.

Star lo miró con curiosidad.

—Hay otra cosa que quisiera saber. ¿Cómo lograste verla? Tú fuiste también el que vio el avión. ¿Por qué siempre ves lo que los demás no notan?

Dante miró en otra dirección.

—A lo mejor tengo mejor vista que ustedes.

—Tú tienes una vista terrible —dijo Adriana—. Tú piensas que el mar es de color violeta.

—No, no es cierto —se defendió el fotógrafo—. Eso fue un error de revelado.

—¿Y lo de los tanques de oxígeno? —insistió Kaz—. Pensaste que las etiquetas rojas eran verdes.

EL DESCUBRIMIENTO

—Me confundí —logró decir con voz quebrada.

—¿Confundiste el rojo con el verde?

Cuando al fin lo dijo, le salió como una avalancha de palabras.

—¿No se dan cuenta? Para mí, el rojo es verde y el verde es rojo, y los dos son grises. ¡Soy daltónico! El gran prodigio de la fotografía vive en una película en blanco y negro.

Los otros se quedaron helados. Kaz fue el primero en recuperar la voz.

—¿Y cómo te ayuda eso a descubrir un ancla cubierta de coral?

—Ustedes miran el arrecife y ven miles de millones de colores diferentes. Para mí, es un dibujo al carbón exquisitamente detallado. Por eso me concentro en los tonos y texturas, las superficies ásperas y lisas, las protuberancias y los llanos. Para ustedes el ancla era invisible, pero para mí, la forma cubierta de coral era tan obvia como una persona bajo una sábana. No la podía ver directamente, pero sabía que estaba allí.

Adriana habló entonces.

—Pero ¿por qué tomas fotos en colores si no puedes diferenciarlos? ¿Cómo pretendes hacerlo bien?

Dante hizo una mueca de tristeza.

—No sé. Creo que imaginé que lo lograría

asociando ciertos tonos con algunos colores, pero es inútil. Esa sí es una discapacidad mortal para un fotógrafo, ¿no crees?

—No es una discapacidad —dijo Star bruscamente—. Es un don. Ves lo que los demás no pueden ver. ¡Ah, pobrecito!

Estaban sentados en el embarcadero cuando oyeron el ruido de un motor que se acercaba. Era el *Hernán Cortés*, con el capitán Vanover al timón. Tocó dos veces la sirena y los saludó con la mano. Adriana frunció el ceño.

—Bueno —dijo pensativa—, Gallagher no quiso escucharnos, pero ¿y el capitán? Siempre nos toma en serio. Quizás deberíamos contarle lo de la moneda.

—Y quizás él se la robe a Cutter para quedarse con ella —dijo Dante con cinismo—. Vanover es amable, pero Marina también lo es. Y ella nos mintió antes. ¿Cómo puedes saber en quién confiar en este lugar?

—Yo pienso lo mismo —dijo Kaz—. Esto es un asunto entre nosotros y Cutter. Mejor que no se lo digamos a nadie más.

El *Cortés* se desplazó suavemente hasta su atracadero y la imponente figura de Menasce Gérard saltó sobre la borda y amarró la nave. No miró a los muchachos, y ellos no lo lamentaron. Vanover les gritó desde la cabina de mando.

—Buenos días —dijo, notando que sus equipos de submarinismo estaban amontonados sobre el embarcadero, y que no estaba por allí el *Ponce de León*. Hizo una mueca de disgusto—. ¿Otra vez?

Kaz asintió.

—Nos dejaron varados. Llegamos a las cinco y ya se habían ido.

—Eso es inaceptable. Suban sus equipos al barco y yo los llevaré hasta donde está Cutter.

Cuando el Inglés regresó de la oficina del director de la bahía, se enojó al ver a los muchachos a bordo y a Vanover preparando el barco para partir.

—Capitán, ¿*pourquoi*? ¿Por qué están aquí otra vez estos mocosos?

—Cálmate, Inglés —le dijo el capitán en tono amable—. Sólo les vamos a servir de taxi. Cutter los dejó varados, y esta vez no voy a permitir que se salga con la suya.

El Inglés lo miró con recelo.

—¿No van a bucear?

—No con nosotros —prometió Vanover—. Llamaremos por la radio a la oficina para averiguar la ubicación del *Ponce de León*. Iremos hasta allí y regresaremos inmediatamente. Eso es todo.

CAPÍTULO TRECE

El *Cortés* estaba a seis millas de Côte Saint-Luc cuando escucharon una explosión.

—¿Habrá sido un trueno? —preguntó Dante.

Pero en el cielo no se veía ni una nube. Vanover y el Inglés intercambiaron una mirada y el capitán aceleró el barco. En alta mar, un ruido semejante generalmente indicaba que un motor había explotado.

El Inglés se hizo cargo del timón y Vanover se metió corriendo bajo cubierta para hablar por la radio.

—*Cortés* llamando a *Ponce*. Bill, acabamos de escuchar un ruido terrible. ¿Tú y tu gente están bien?

No hubo respuesta. El capitán repitió su mensaje. Tampoco esta vez obtuvo respuesta.

El Inglés presionó el acelerador, y el barco aceleró la marcha.

Los cuatro jóvenes buzos se apoyaron en los macarrones mientras las olas zarandeaban el barco. Estaban muy serios. ¿Le habría ocurrido algo a Cutter o a su tripulación?

Finalmente apareció el *Ponce de León* como

una manchita en el horizonte. Vanover lo observaba con sus binoculares.

—Bueno, está entero —informó—. Y no veo ningún fuego.

El Inglés continuó a toda velocidad.

—¿Y la tripulación?

—Aún no he visto a nadie —dijo el capitán.

Estaban a unos cien metros a estribor de la otra nave cuando se escuchó algo en la radio. Era Bill Hamilton, el capitán del *Ponce de León.*

—Este es el *Ponce de León,* ¿eres tú?

—¿Qué pasa, Bill? ¿Todo el mundo está bien ahí? ¿Por qué no respondiste a nuestra llamada anterior?

La voz de Tad Cutter se escuchó en la línea.

—Tuvimos problemas. No podrías creer la detonación en el escape que tuvo el motor.

—¿Fue eso una detonación en el escape? —exclamó Vanover—. Sonó como una bomba.

—Estamos revisando el motor —continuó Cutter—, pero estoy seguro de que todo va estar bien. Gracias de todas formas, Braden.

—Bueno —dijo el capitán—, pero también tengo una sorpresa para ti, Cutter. Es decir, cuatro. Se te quedó algo en el muelle esta mañana.

—Oh, sí, los muchachos. Salimos muy temprano. Me dio lástima despertarlos tan temprano.

—Bueno, pero ya están despiertos. Y vienen aquí con nosotros.

—No me parece una buena idea —le advirtió Cutter—. Mi compresor está descompuesto, no podrán bucear.

—No hay problema —le aseguró Vanover—. Tengo varios tanques de oxígeno llenos. Vamos a acercarnos para que se echen al agua desde nuestro trampolín y regresarán después con ustedes cuando terminen.

Hubo un largo silencio. Finalmente respondió:

—Me parece bien.

En ese momento, los dos barcos estaban tan cerca que Kaz podía ver a Cutter, Marina y Reardon en la cubierta del *Ponce de León*. Reardon estaba en la proa, revisando la vara de pescar que parecía ser su mayor preocupación a bordo del barco de investigación. Si Kaz no hubiera estado en ese momento tratando de ponerse su traje de buzo, habría notado que Reardon tenía el cabello mojado. El hombre de la barba había estado en el agua hacía poco tiempo.

El *Cortés* se detuvo a unos treinta metros de la popa del *Ponce de León*, y los cuatro adolescentes se echaron al agua.

—Recuerden —les dijo Vanover al despedirse—, ustedes tienen todo el derecho del mundo a estar aquí. Ustedes no escogieron Poseidón. Poseidón los escogió a ustedes. No tengan miedo de decírselo a Cutter.

—Hay un montón de cosas que pienso decirle a Cutter —murmuró Star.

—¿Para qué? —le dijo Kaz mientras chapoteaba en el agua—. Nos mintió antes y volverá a mentirnos.

—Eh, muchachos —les dijo Marina desde la cubierta del *Ponce de León,* sonriendo y saludándolos con la mano—. Suban a bordo.

—Ni lo sueñes —dijo en voz baja Star—. Voy a bajar para ver lo que estaban haciendo. ¿Quién va conmigo?

—Yo —se ofreció Adriana.

—Pero ¿qué le vamos a decir a Marina? —preguntó Dante.

—Dile que no la escuchamos —dijo Star—. Su voz no es muy fuerte.

Se puso el regulador en la boca, desinfló el chaleco de flotación y desapareció bajo las olas. Adriana la siguió enseguida.

El agua estaba oscura y sucia... casi opaca. ¿Qué le había pasado al agua cristalina del mar Caribe?

Mientras Star continuaba su descenso, miraba de vez en cuando a Adriana que iba un poco más arriba. Era fácil perder de vista a su compañera en medio del lodo.

Lodo, eso era. Pero ¿qué fuerza podría haber levantado tanto lodo? ¿Una detonación en el escape de un motor? Imposible.

Treinta metros. ¿Dónde estaría el fondo?

Una barracuda curiosa los miró a través de aquella sopa de chícharos y se alejó rápidamente.

Cuarenta metros. ¿Cuán profundo sería el mar aquí? La visibilidad era tan escasa que no se podía determinar. Ahora casi no había luz. Star se sintió aislada y desorientada. Sólo por las burbujas podía saber dónde estaba la superficie.

De repente, sus patas de rana chocaron contra algo que no había visto. ¡El arrecife! Puso un poco de aire en su chaleco para estabilizar su flotación y agarró a Adriana antes de que la muchacha chocara contra el fondo. Trataron de hacer contacto visual en medio del agua sucia. Quizás Cutter y su gente habían estado haciendo algo por aquí, pero en estas condiciones las muchachas no podrían ver lo que habían hecho.

Nadaron junto al lecho marino siguiendo la línea del arrecife. Y de pronto, la cima del arrecife terminó.

Star se quedó pasmada. Aquello no era una formación natural. Era casi un cráter en medio del arrecife: una zona circular de unos cuatro metros de diámetro.

Siguió nadando y miró hacia el fondo. El hoyo estaba lleno de pedazos de coral de todos los tamaños, desde enormes pedruscos hasta fragmentos pequeños como grava.

Star se quedó sin aliento al darse cuenta de lo sucedido. La "detonación en el escape" de la que hablaba Cutter había sido una explosión de dinamita. Una explosión lo suficientemente fuerte como para romper el coral y enviar nubes de lodo en todas las direcciones.

Su reacción instintiva fue de indignación, seguida por el asombro. ¿Por qué razón un grupo de oceanógrafos, ¡de científicos!, dinamitarían un arrecife de corales? Esa explosión causaría la muerte de millones de pólipos, un desastre ambiental que demoraría décadas en subsanarse. No era sólo horrible, ¡era ilegal! El coral era una especie protegida en todo el mundo.

El asunto tampoco tenía sentido. ¿Qué se ganaba con una destrucción tan estúpida?

De repente, identificó una silueta, una imagen familiar medio oculta por los desechos de lo que había sido parte del arrecife. Una forma oscura en medio de los restos multicolores: un anillo, una cruz y dos ganchos... el ancla de Dante. Le habían quitado la boya de identificación, pero era sin dudas el mismo artefacto.

"Están buscando lo que descubrimos".

Star sintió un pinchazo en la manga de su traje de buceo. Era Adriana, que había llegado a la misma conclusión.

Ahora lo entendían todo. Ningún científico dinamitaría un arrecife coralino. Tad Cutter no era un científico. Eso explicaba la presencia del magnetómetro, y por qué Cutter mantenía a sus becarios buscando cavernas cuando no le quedaba más remedio que llevarlos en el barco.

Y eso también explicaba por qué él y su gente habían reconocido inmediatamente la moneda española.

Cutter, Marina y Reardon podrían trabajar para Poseidón, pero en realidad eran buscadores de tesoros.

Con su pata de rana, Adriana movió unos pequeños fragmentos de coral del fondo. Entonces Star vio algo, una cosa lisa y completamente blanca. Extendió el brazo y la agarró. Era una empuñadura o un mango de algo. Estaba tallada y pulida, y era sin dudas un objeto hecho por la mano del hombre.

Las dos intercambiaron una mirada a través de sus caretas. ¿Habría guiado Dante, con su vista de águila y sin quererlo, a Cutter y su gente exactamente a lo que tanto buscaban?

CAPÍTULO CATORCE

Fue la primera vez que Kaz vio a Marina Kappas enojada.

—¡Ellas no pueden bucear! ¡Yo les ordené que subieran a bordo!

—No te escuchamos —le gritó Kaz.

—¡Tienen que regresar inmediatamente! —gritó Marina—. Baja y búscalas. Tenemos un horario que cumplir.

Kaz metió su cara con la careta puesta en el agua y la volvió a sacar inmediatamente.

—Está un poco nublado hoy. Bajemos por el cabo del ancla. Así será más fácil mantenernos juntos.

Él y Dante comenzaron a nadar alrededor de la popa del barco.

—¡Apúrense! —gritó Marina molesta—. No tenemos todo el día para esto.

Un agudo sonido cortó el aire. A Kaz le tomó unos segundos identificarlo: era el carrete de la vara de pescar de Chris Reardon, ahora abandonada por su dueño, deslizándose velozmente. La carnada de Reardon, de pedazos de calamar y pizza fría, había atrapado algo grande.

INMERSIÓN

Sucedió antes de que Kaz se hubiese puesto el regulador en la boca. El sedal Mylar de quinientos kilos se enredó en su cuerpo, presionando su brazo derecho contra el tórax. Sintió que el sedal lo hundía bajo la superficie con una fuerza inmensamente superior a la suya.

Tratando de controlar el pánico, se puso el regulador en la boca con la mano libre. Miró a través del agua sucia y vio una silueta oscura al final del sedal. Un mero gigante de por lo menos ciento cincuenta kilos estaba enganchado al anzuelo, luchando por soltarse. El pez, en su lucha desesperada, estaba jalando a Kaz directamente al fondo del mar con giros violentos que apretaban todavía más el sedal al cuerpo del indefenso buzo.

"No voy a enfrentarlo —pensó mientras veía el agua pasar a toda velocidad y al pez como una mancha difusa allá en lo hondo—. Mi única esperanza es cortar el sedal".

Tenía el puñal de buzo en la vaina del muslo derecho. Sólo lo podría asir con la mano izquierda. Cuando lo estaba agarrando con el guante, el mero dio un giro violento. Kaz fue jalado como un perrito en su cuerda. En medio del dolor, sintió que el puñal se le escapaba de la mano. El mar se tragaba su última esperanza.

"No —recordó—, todavía tengo una oportunidad; tiene que haber una manera de detener a este pez".

Y algo lo detuvo entonces. Al principio Kaz pensó que había sido un submarino, tenía que ser, pues era muy grande, pero entonces una figura con forma de torpedo abrió una inmensa boca. Cuando la cerró, la mitad del mero desapareció dentro de ella.

El sedal quedó suelto, pero Kaz no hizo ningún intento de zafarse. Estaba paralizado por un miedo que provenía de su infancia. Porque él sabía, con la misma certeza que hubiera tenido si el pez hubiese llevado un letrero con luces de neón, que se trataba del monstruoso tiburón tigre de seis metros que la gente de la isla llamaba Clarence.

Mientras se hundía lentamente, vio las enormes fauces destrozar al mero en una nube de sangre y carne desecha. La sangre parecía verde a esta profundidad. "El agua de mar no deja pasar la luz de color rojo". La voz de su instructor de buceo resonó en su cabeza, repitiendo las palabras una y otra vez. Kaz no podía detener la reiterada explicación. Estaba dominado por el terror.

Había dejado su hogar, su familia, el hockey y todo lo que conocía para viajar mil quinientos kilómetros hasta el Caribe... para morir.

Apenas notó el choque de su cuerpo contra el lecho marino. Fue casi un alivio. Un lugar donde esconderse mientras el tiburón nadaba en círculos más arriba, dando mordiscos violentos a los sangrientos desechos que había a su alrededor. Para Clarence, la sangre en el agua indicaba que había comida. Ya el depredador no se acordaba del mero. Jamás recordaba su última comida; su única preocupación era hallar la próxima.

Kaz se acurrucó en el fondo arenoso, temblando de miedo. No se le ocurría ningún plan, ninguna estrategia de escape. Ni siquiera el hecho evidente de que el aire del tanque no duraría eternamente podía penetrar su necesidad de esconderse de aquella máquina de matar, natural y perfecta.

Dante salió a la superficie y soltó el regulador, tomando una bocanada de aire fresco.

—¡Un tiburón! —trató de gritar, pero le salió sólo un agudo silbido.

Miró desesperadamente a su alrededor. Estaba más cerca del *Ponce de León* que del *Cortés*, pero instintivamente comenzó a nadar hacia el barco de Vanover. Cuando era un asunto de vida o muerte, lo mejor era irse con la gente en la que uno confiaba.

Algo salió a la superficie frente a él, y dio un grito de terror. Star se quitó la careta.

—No des esos gritos —le advirtió—. Oye, encontramos lo que Cutter...

—¡Clarence! —le dijo Dante.

—¿Quién?

—El tiburón.

Adriana salió entonces a la superficie, y esta vez tanto Dante como Star se asustaron.

—¿Dónde está Kaz? —preguntó Star.

—¡Está en el fondo y no se mueve! —chilló Dante—. No pude llegar hasta él. El tiburón...

Star ya se dirigía nadando hacia el *Cortés*, gritando:

—¡Capitán!

Vanover y el Inglés ya estaban en el trampolín de buceo para sacarlos a los tres del agua.

—¿Qué pasa? —preguntó el capitán—. ¿Dónde está Kaz?

Con la respiración entrecortada, Dante le explicó entre sollozos:

—El tiburón no lo mordió —dijo—, pero creo que tiene miedo de subir.

El Inglés ya se estaba poniendo el tanque de oxígeno.

—Parece que fue Clarence —dijo Vanover—. Mejor que bajes en la jaula.

El guía de buceo frunció el ceño.

—Yo no soy un canario.

—El muchacho podría estar herido, incluso sangrando —le dijo Vanover—. Vas a necesitar la jaula para protegerlo a él.

El Inglés emitió un gruñido de aprobación.

Demoraron unos preciosos minutos armando la jaula de titanio y colgándola del cabrestante eléctrico del *Cortés*. El Inglés se metió en la jaula y cerró la puerta. El choque produjo un sonido como el de la puerta de una celda. Vanover empujó la jaula colgante por encima de la borda.

—Un tirón para bajar, dos para subir y tres para parar.

Soltó el cabrestante y el guía desapareció bajo las olas.

Menasce Gérard se sentía tan cómodo bajo el agua como en tierra firme. En su trabajo en las plataformas petroleras muchas veces bajaba a más de trescientos metros de profundidad... una presión de treinta atmósferas. No le tenía miedo a nada bajo el agua, y veía la jaula como una incomodidad, casi una vergüenza. ¿Por qué sorprenderse de que aquellos adolescentes norteamericanos lo hubieran puesto en semejante situación?

Lo sorprendió la poca visibilidad que había, pero, *alors*, era lógico. Ningún tiburón podía levantar tanto lodo, pero cualquier cosa que pudiera hacerlo atraería a un gran depredador como Clarence.

Miró a través de los barrotes buscando al tiburón y al joven buzo, pero no había señales de ninguno de los dos. Cuando la jaula tocó fondo, le dio tres tirones al cabo de señalización para que pararan el cabrestante. Después abrió la puerta y salió de la jaula.

No tenía puesto el cinturón de plomos, por lo que le costaba trabajo mantenerse a esa profundidad. Podía hacerlo, pero no por mucho tiempo, y el esfuerzo lo haría gastar más aire del tanque. Tenía que encontrar a Kaz rápidamente.

El agua turbia dificultaba la búsqueda. Pasaron unos minutos. ¿Cuántos? Ni siquiera un buzo tan experimentado como él podría decirlo. Demasiados.

Pasó directamente sobre el muchacho y por poco no lo ve. Kaz estaba acostado sobre el fondo, como si quisiera enterrarse en la arena. En el primer momento, el oscuro traje de buzo del muchacho hizo creer al Inglés que se trataba de un abanico de mar que había caído en el fondo.

Kaz casi se sale del traje cuando el Inglés lo agarró y lo levantó.

Menasce Gérard no gastaba el tiempo en palabras, especialmente bajo el agua.

—Ven —le dijo.

Kaz se agarró de su brazo y no volvió a soltarlo. Conectado ahora a un buzo con cinturón de plomos, el Inglés se dirigía a la jaula más rápidamente.

Sería su radar submarino o su sexto sentido, pero el Inglés supo al instante que el tiburón venía tras ellos. Miró sobre su hombro y no vio nada, pero el depredador venía tras ellos, oculto en la nube de lodo. El Inglés podía imaginarse el monstruo de seis metros y fríos ojos negros. Le dijo algo más a Kaz:

—Apúrate.

Aún no veía a Clarence, pero vislumbraba una silueta oscura tras ellos que se agigantaba rápidamente. Los dos pateaban desesperadamente, buscando la jaula y la seguridad que representaba.

Kaz no se atrevía a mirar hacia atrás, pero el horror se reflejaba en su cara, la desesperación de la presa acosada.

Las sombras comenzaron a dejar ver los barrotes de la jaula delante de ellos, pero el tiburón también era visible ahora, y se aproximaba. Con un impulso de su poderosa cola acortó la ventaja, con la boca entreabierta y su letal arsenal listo para el ataque.

El Inglés, con una fuerza y una velocidad sorprendentes, se lanzó hacia la jaula y empujó a Kaz hacia adentro. Después se metió él y agarró la puerta para cerrarla.

En ese instante la boca inmensa surgió desde la nube de lodo y golpeó con increíble violencia.

CAPÍTULO QUINCE

Las fauces, que eran del tamaño de un escritorio, mordieron los barrotes de la puerta aún sin cerrar en un choque terrible de metal y dientes. La poderosa cabeza comenzó a sacudirse violentamente. La jaula se sacudía con los dos buzos rodando dentro como un par de dados.

Los tirones debieron sentirse en la superficie, pues la jaula comenzó a ascender. El tiburón seguía mordiendo la puerta, tratando de destrozar los barrotes de titanio de cinco centímetros de diámetro. El Inglés agarró los barrotes del fondo y pateó violentamente el morro del animal con sus patas de rana.

Kaz estaba agarrado de los barrotes tratando de que las violentas sacudidas que daba el tiburón no lo expulsaran de la jaula. Sentía un pánico inimaginable. Se daba cuenta de que seguían vivos únicamente por la estupidez del tiburón tigre. Pues si la bestia hubiera soltado la puerta, habría podido meter la cabeza en la jaula y atraparlos.

La esfera luminiscente del medidor de profundidad mostraba que aún estaban a diez metros de la superficie. Se preguntó si él y el Inglés aún estarían dentro de ella cuando la jaula saliera a la superficie.

A bordo del *Hernán Cortés*, el capitán Vanover se inclinó sobre el cabrestante eléctrico, que vibraba y rechinaba continuamente. Dante lo observaba preocupado.

—¿Siempre hace eso?

—No lo debía hacer —respondió el capitán con el ceño fruncido—. La jaula no debería vibrar al subir con dos buzos dentro.

Star observaba el agua en la popa.

—No veo nada. No, espera...

Los otros fueron corriendo hacia ella. El agua se llenó de burbujas que salían del fondo. Adriana dio un suspiro.

—¡No!

La jaula salió a la superficie, y con ella salió el tiburón, una masa de músculos y furia tan gruesa como una secoya. Aún tenía los dientes clavados en los barrotes de la puerta cuando el cabrestante lo elevó hasta sacar su aleta dorsal del agua. Una vez fuera de su elemento natural, la bestia pareció enloquecer, dando saltos y tratando de desbaratar la puerta con sus fauces.

Vanover agarró una vara larga y comenzó a darle golpes al tiburón en su enorme cabeza.

Star tomó otra y comenzó a pinchar la panza del tiburón. Dante le lanzó una lata de refresco que lo golpeó en la aleta dorsal. Nada parecía causar ningún efecto.

Kaz estaba soldado a las barras, aún con el regulador en la boca, aunque estaba a dos metros por encima del agua.

Gritando maldiciones en francés, el Inglés se quitó su tanque de oxígeno y lo lanzó contra el ojo del tiburón. La fuerza del golpe hizo que el tiburón abriera la boca. Cayó al agua produciendo una cascada a su alrededor que zarandeó el barco y bañó a los cuatro espectadores en cubierta. Le dio dos vueltas al barco con su aleta dorsal por fuera del agua y desapareció.

El Capitán subió la jaula por encima de la borda y la hizo bajar a cubierta.

El Inglés sacó a Kaz de la jaula y le quitó el regulador de la boca.

—¿Estás bien, muchacho? ¿No te falta ningún pedazo?

Kaz asintió con un movimiento de cabeza. Le temblaban las rodillas pero estaba decidido a no desmayarse.

—Me... me salvaste la vida.

La respuesta del guía fue un elaborado gesto de desdén muy francés.

—La próxima vez que quieras vivir algo emocionante —le dijo— móntate en una montaña rusa, ¿oui?

En ese momento se escuchó algo en la radio que estaba bajo cubierta. Era la voz de Tad Cutter:

—¿Qué pasa ahí? ¿Qué era eso, una ballena? ¿Todo el mundo está bien?

Vanover fue hacia la escalerilla.

—Todo el mundo está bien, Cutter —dijo bruscamente—. Uno de los becarios por poco se muere. No es nada de lo que tengas que preocuparte —dijo, y cortó la comunicación.

—Oiga —dijo Adriana señalando hacia la jaula. En una esquina, con la piel del color del titanio, había un pequeño pulpo—. Sr. Inglés... aquí está el pulpo que le debíamos.

El guía metió la mano entre los barrotes, sacó a la aterrorizada criatura y le habló:

—Te salvas que estoy de buenas —dijo, y lo lanzó al mar.

Era la primera vez que los muchachos lo veían sonreír.

Decidieron que los muchachos regresaran a la bahía de Côte Saint-Luc a bordo del *Hernán Cortés* en lugar de cambiarse al *Ponce de León*.

—Lo último que necesitan estos muchachos

ahora es ver a Cutter y su equipo —dijo Vanover pensativo.

Kaz asintió.

—Reardon probablemente sigue enojado por haber perdido el mero. Estoy seguro de que ni se imagina que su estúpido sedal estuvo a punto de convertirme en la pesca del día.

Vanover lo observó muy serio.

—He visto a muchos buzos pretender que no ha pasado nada con bromas como esa. Lo que pasaste hoy... no hay nada más aterrador que eso. Ahora tienes que averiguar cómo te va a afectar. ¿Fue un *knockout* como los de boxeo? Algunas personas pueden superar una experiencia así y ponerse las patas de rana a la mañana siguiente como si nada; otros no vuelven a meter ni un dedo en el mar. Lo que tienes que hacer ahora, Kaz, es averiguar cuál de los dos es tu caso.

Subió por la escalerilla, dejando a los demás en la cocina del barco.

—Eso es cierto —dijo Dante—. ¿Cómo vas a volver a bucear después de lo que pasó hoy? Yo no sé si podré, y no fue a mí al que le pasó eso.

—No digas tonterías —se burló Star—. Lo que sucedió hoy fue un raro accidente. Si te vuelves a encontrar con un tiburón tan grande como ese, lo más probable es que pase de largo sin mirarte.

—Sí, pero Clarence aún anda dando vueltas por estas aguas —le recordó Dante.

Ella se encogió de hombros.

—Dice el capitán que ha estado aquí desde hace años. La gente casi nunca lo ve, y cuando lo ven no pasa nada. Lo que sucedió es que dio la casualidad de que Kaz estaba allí mismo cuando fue a comerse el pez y había sangre en el agua.

—Aun así... —comenzó a decir Dante.

—Yo voy a seguir buceando —lo interrumpió Kaz.

Adriana estaba preocupada.

—Quizás no deberías tomar una decisión ahora mismo.

—Yo voy a seguir buceando —repitió. La decisión le había llegado de repente, inesperadamente. Era lo que había dicho Star, "un raro accidente". ¿Cómo habían descrito los médicos la catastrófica lesión de Drew Christiansen? "Un raro accidente. Una posibilidad entre un millón". Considerar lo ocurrido como algo distinto a una pura casualidad sería como culpar a Kaz de la parálisis de Drew.

La probabilidad de ser atacado por un tiburón en estas aguas era la misma que la de dejar a un muchacho en una silla de ruedas para el resto de su vida por un simple empujón.

Cuanto más lo pensaba, más evidente se le hacía.

—No se preocupen por mí. Voy a estar bien.

—Tú eres duro, rata de hockey —gruñó Star en tono aprobatorio—. Y esto no me lo vas a creer, pero Clarence no fue la noticia del día.

—Eso lo dices porque no fue tu cabeza la que estuvo a punto de tragarse —replicó Kaz.

—No, en serio —insistió Star—. En primer lugar, esto no sucedió en un lugar cualquiera del arrecife. Estábamos exactamente sobre el ancla.

—La vimos —añadió Adriana—. La vimos completa.

—Es imposible —exclamó Dante—. Está enterrada bajo toneladas de coral.

—Ya no —le informó Star—, porque Cutter hizo explotar el arrecife en añicos. Por eso el agua estaba tan turbia, por la explosión de dinamita.

Kaz hizo un gesto de incredulidad.

—Los científicos no se dedican a destruir los corales. Ellos adoran los corales. Para ellos todos los días son "el Día del Pólipo".

—Y por eso es que nos ha costado tanto trabajo entender esta situación —le dijo Star—. ¿Por qué un científico robaría nuestra moneda? ¿Por qué un científico nos haría perder el tiempo identificando cavernas submarinas? La respuesta es clara: Cutter, Marina y Reardon no son científicos. Son buscadores de tesoros.

—¡Buscadores de tesoros! —exclamó Kaz—. Tiene sentido. Está claro que no son oceanógrafos. ¿Oyeron lo que dijo Cutter por la radio?: "¿Qué era eso, una ballena?".

Dante aún estaba escéptico.

—Pero si lo que querían hacer era buscar tesoros, ¿para qué iban a traer a cuatro becarios con ellos? ¿No sabían que íbamos a ser un estorbo para ellos?

—Creo que les servimos de tapadera —dijo Adriana—. Recuerden, la gente de Cutter no trabaja en Poseidón, Saint-Luc. Ellos son de la sede central en California. Es la excusa perfecta: vienen aquí y se ponen a husmear en los Bancos Escondidos como si lo estuvieran haciendo por nosotros.

—Y a nosotros nos mantienen a distancia —añadió Star—, enviándonos a buscar cavernas que no les interesan a nadie.

Kaz asintió lentamente.

—Y nos escogieron a nosotros porque no íbamos a ser lo suficientemente buenos como para interferir en su descubrimiento.

—Si es que descubren algo —añadió Dante.

—Ya lo hicieron —dijo Adriana—, o al menos tú lo hiciste.

Sin decir palabra, Star metió la mano en su bolsa de buceo y sacó el artefacto que había recogido entre los fragmentos del arrecife destruido por la explosión: un asa blanca labrada.

—El ancla, la moneda de plata y ahora esto, todo en el mismo sitio. ¿Me vas a decir que no se trata de los restos de un naufragio?

Los muchachos miraron con expresión de asombro la empuñadura de hueso de ballena. Un pedazo de coral ocultaba su adorno principal: una piedra preciosa engastada en su delicado tallado. Sobre ella estaban grabadas las iniciales JB. La antigua inscripción se veía tan claramente como si hubiese sido tallada ayer.

JB. ¿Serían las iniciales de un pobre marinero náufrago de hacía cientos de años?

28 de agosto de 1665

El cruel chasquido del látigo del capitán James Blade ya era familiar. El violento golpe del cuero aceitado en la piel lacerada, los gritos de agonía del pobre marinero, el maligno brillo verde de la inmensa esmeralda engastada en el mango del instrumento de tortura preferido del capitán.

Hoy la víctima era Clark, el segundo del contramaestre. En los lastimosos quejidos del hombre, Samuel Higgins podía escuchar los gritos de Evans, el hacedor de velas, la única persona en la tierra que le había ofrecido su amistad al grumete huérfano. El viejo Evans, muerto hacía ya tiempo, como tantos otros en este viaje terrible.

El capitán estaba tomando impulso para descargar otro latigazo terrible cuando se escuchó el grito desde lo alto del palo mayor.

—¡Tierra a la vista!

Por suerte los latigazos se interrumpieron. Samuel nunca había presenciado una celebración como aquella: todos corrieron enloquecidos hacia la borda, todos los ojos tratando de absorber la del-

gada cinta marrón apenas visible sobre el horizonte. Tras cuatro largos meses en el mar, padeciendo maltratos y privaciones, viendo morir a más de la mitad de sus compañeros de malnutrición, fiebre y escorbuto, la exhausta tripulación del Griffin había llegado al Nuevo Mundo. En un barco más hediondo que la peor cloaca de Liverpool, los andrajosos marineros bailaban y gritaban de alegría como niños el Día de Mayo.

El capitán observó a través de su largo catalejo y emitió un grito triunfal.

—Portobelo, Dios mío. A sólo unas millas por la costa.

La tripulación lanzó un rugido de aprobación. York extendió su sucia mano y mesó juguetonamente los cabellos de Samuel.

—Atravesar el inmenso océano y arribar a la costa a un tiro de cañón de tu destino. Muchacho, eso es como disparar un mosquete a media legua de distancia y meter la bala por el ojo de una cerradura. Tú eres un tipo dichoso, Samuel Higgins. Te pusieron bien el apodo.

Los halagos del macabro barbero siempre le eriza-ban la piel a Samuel, pero el sentimiento desapareció rápidamente, dando paso a la alegría de haber llegado a tierra. ¡Tierra! El largo viaje finalmente había concluido.

Tocó las pocas monedas de cobre que tenía en

uno de los bolsillos de sus pantalones: los anémicos salarios de estos largos meses en el mar, pero aun así era más dinero del que jamás había tenido en sus trece años de vida.

—Agua limpia —dijo en voz alta—. Eso es lo primero que voy a pedir. Y pan recién horneado, sin gusanos.

—¿Serás imbécil, muchacho? —le dijo York sorprendido—. Ese pequeño pueblo es el puerto occidental de la flota española, el lugar más rico del mundo. No hemos venido de visita, Dichoso. ¡Venimos a robar su tesoro y quemar esa ciudad hasta los cimientos!